우리 시대의 셰익스피어들

이 도서는 한성대학교 교내연구비 지원과제임.

우리 시대의
셰익스피어들

김영아 지음

도서출판 **│동인**

셰익스피어 다시쓰기 연구의 의의

"그는 한 시대가 아니라 모든 시대에 속한 사람이다!(He was not of an age, but for all time!)" 셰익스피어 전작 모음집인 『제 1 폴리오』(*First Folio*) 서문에 등장하는 벤 존슨의 이 찬사는 이제 셰익스피어 연구자들은 물론 일반인들에게도 널리 회자되는 상투어로 자리했다. 하지만 이 익숙한 찬사의 대상인 셰익스피어가 누구 혹은 무엇인지, 구체적으로 말해 과연 그를 "한 시대가 아니라 모든 시대에 속한 사람"으로 만드는 요체가 무엇인가는 아직까지도 여전히 중요한 이론적이자 실천적인 쟁점이며, 그것은 우리가 문학과 예술을 우리 삶의 중요한 일부로 간주하는 한 영원히 그러할 것이다.

셰익스피어의 이러한 '영원성' 혹은 '보편성'을 가장 잘 보여주는 분야는 단연코 셰익스피어 다시쓰기와 일명 개작 연구라고 불리는 다시쓰기 작품들에 대한 연구라고 할 수 있다. 사실 셰익스피어 개작 연구는 셰익스피어 학계에서는 오랫동안 상대적으로 주변화되고 이론화되지 않았던 분야였다. 하지만 개작 연구는 20세기 후반 이후 가장 활발한 활동을 보여주는 중요한 연구 분야로 부상했고, 그 배경에는 문학뿐 아닌 문화계 전 분야에서의 탁월한 성취들이 자리한다.

지난 400여 년간 인류는 장소와 시간을 불문하고 문제에 봉착할 때마다 셰익스피어를 향했고, 셰익스피어 극작품의 다시쓰기 작업을 통해 자신의 시대와 장소의 문제를 표현하고 탐색해왔다. 특히 최근에 이르러서는 전통적인 문화생산의 현장뿐 아니라 대중문화의 장에서도 셰익스피어의 작품과 그의 존재를 활용한 다양한 시도들이 급격히 늘고 있다. 그리고 이러한 셰익스피어 다시쓰기와 인유는 언제나 셰익스피어의 극작품에 대한 재해석일 뿐만 아니라 동시대가 당면한 문화적, 사회적, 정치적 쟁점과의 대결의 현장이었다. 그렇다면 우리는 어떻게 셰익스피어를 통해 우리의 문제를 상상하고 재구성하고 있을까? 왜 셰익스피어이며, 우리는 이 다시쓰기를 통해 어떤 셰익스피어를 만들어내고 있을까?

20세기와 21세기에 생산된 대표적 셰익스피어 다시쓰기 작품들에 대한 연구서인 이 책은 바로 이 질문에 대한 탐색의 결과물이다. 고백하건대 필자에게 이 질문들은 21세기 대한민국에서, 셰익스피어 연구자이면서 동시에 대학에서 교양교육을 담당한 교육자로서 살아간다는 것이 무엇인지, 그 의미를 확인하고 찾는 탐색의 과정이기도 했다. 셰익스피어 연구로 박사논문을 받았지만 셰익스피어 작품보다는 영어를 가르쳐야 할 일이 더 많았던 필자에게, 소위 '인문학의 위기'의 시기에 왜 우리가 400년도 더 된 남의 나라 작가의 작품을 읽고 이야기를 해야 하는가는, 학생들과 대중들에 앞서 연구자이자 교육자인 스스로를 설득하고 확인시켜야 할 일종의 존재론적 질문이었던 탓이다.

　연구 동기가 갖는 개인적 긴요함은 연구 대상으로 선택한 작품들의 특징에서도 확인할 수 있다. 이 책에서 다루어지는 작품은 20세기 초반 베르톨트 브레히트가 다시 쓴『코리올레이너스』인『코리올란』에서 시작해 2016년 셰익스피어 사망 400주년을 기념해 출판된 유대계 영국소설가 하워드 제이콥슨의『샤일록은 내 이름』까지를 망라하는데, 모두 개작연구 분야의 대표적 학자인 줄리 샌더스(Julie Sanders)의 분류법에 따르면 전용(appropriation)에 해당한다. 샌더스는 다시쓰기 작품이 원작과 맺는 관계에서 개작(adaptation)과 전용을 비교해, 둘 다 단편적 인유에 그치는 것이 아니라 단일한 텍스트에 "지속적으로 관여"한다는 점에서 동일하지만 전용의 경우는 원작에 대해 "비판적 태도, 심지어 공격"의 자세를 취한다는 점에서 차이를 지닌다고 정의한다. 이 책이 다루는 작품들은 생산된 시기와 장소, 활용된 매체에서 다양한 모습을 보이지만, 모두 당대의 긴급한 쟁점에 대한 대응이자 발언이며 셰익스피어로 대변되는 문화적 전통의 가치를 "새로운 눈으로 보기"를 요구한다는 점에서 아드리안 리치가 이야기하는 "다시-보기"(re-vision)에 해당하는 작업들이다. 따라서 이 연구에서 셰익스피어 다시쓰기 작품들은 늘 우리 곁에 있어온 셰익스피어의 보편성과 현재성을 확인하는 통로였을 뿐 아니라 개인적으로는 연구자이자 교육자로서 존재의 의의를 확인하고 21세기 한국에서 문학과 셰익스피어가 갖는 의미를 재구성하는 장이었다.

정직하게 말하자면 이 연구는 처음부터 한권의 책으로 기획된 것이 아니라 지난 10여 년간의 개별 연구논문들을 모은 것이다. 따라서 20세기와 21세기의 대표적 셰익스피어 다시쓰기 작품들을 연구 대상으로 선택했지만 셰익스피어 수용 혹은 개작의 역사를 쓰겠다는 목표를 지닌 것은 아니었고 그것은 이 책의 범위를 넘어서는 작업이다. 그리고 이 책에 실린 글들은 크게 보아 작품론에 해당한다. 그 결과 이책에 실린 글들의 주된 관심은 개별 작품을 소개하고 개별 작품이 시도하는 셰익스피어 다시쓰기 작업의 정치적 예술적 의의를 탐색하는데 있으며 그런 점에서 개작 연구의 이론적 쟁점들에 대한 본격적 점검도 이 책의 범위를 넘어선다. 하지만 이론적 쟁점들이 작품에 대한 평가와 해석과 무관하지 않고 그 작업의 바탕이 될 수밖에 없다는 점에서, 이 글들은 작품론이면서 동시에 이론적 쟁점들에 대한 비록 본격적이지는 않지만 간접적 형태의 탐색의 결과이기도 하다.

이 글들의 작품 분석의 바탕에 깔린 개작 연구의 쟁점은 크게 두가지이다. 하나는 개작 연구의 목표이다. 개작 연구가 경시된 배경에는 '독창성'에 대한 오래된 집착이 자리한다. 개작 연구는 '독창성'의 숭앙에 깔린 원작과 개작의 위계에 대한 도전에서 시작하는데 여기서 한발 더 나아가 작품의 가치평가 자체를 주저하는 모습을 보여주며, 특히 최근에 이르러서는 개작에 대한 모든 정치적 도덕적 평가마저도 개작의 시도를 억죄는 시도로 부인하는 양상을 보여준다. 개작을 이론화에 대비되는, 다시 말해 의미를 고정화하려는 모든 시도에 저항하는 그 무엇으로 정의하는 이 경향은 극단적 상대주의이자 반정치, 반지성주의를 내포한다는 점에서 역사성과 정치성의 복원을 목표로 하는 개작 연구의 본령을 거스르고 있다고 생각한다. 따라서 필자는 셰익스피어 다시쓰기 작품들의 의의를 시대적 효용성이라는 관점에서 뿐 아니라 그것이 시대와 장소를 뛰어넘어 호소력을 지니는 작품인가를 물으며, 이 질문들에 대해 탐색해보고자 했다.

또 하나의 쟁점은 다시쓰기 작업과 개작 연구가 소위 '정전'과 그 내에서 셰익스피어가 차지하는 지위와 맺는 관계이다. 셰익스피어 다시쓰기와 개작 연구에는 언제나 그 작업이 결국 셰익스피어라는 정전 작가의 위대함을 긍정하고 그를 확산시키는,─마사이(Sonia Massai)의 표현을 빌자면─"전 지구적 우상으로서의 셰익스피어를 통해 지역적 문화시장을 점진적으로 서구화하는 것"이 아닌가라는 의심이 제기되었다. 이는 개작 연구에서 중요한 이론적 쟁점이지만, 그에 대한 답은 하나가 아니며 그 탐색은 개별 다시쓰기 작품에 대한 평가를 통해 수행될 수밖에 없다고 생각한다. 그 이유는 다시쓰기 작품이 셰익스피어의 원전과 맺는 양상은 각기 다를 수밖에 없기 때문이며, 더 나아가 다시쓰기와 셰익스피어의 작품 간의 길항 작용의 분석을 통해 새로운 셰익스피어와 새로운 전통 혹은 정전을 만들어내는 것은 결국 평가자의 해석 작업이기 때문이다. 따라서 이 책의 작업은 앞서 이야기한대로 셰익스피어 다시쓰기 연구를 통해 결국 21세기 한국에서 문학 정전과 셰익스피어가 갖는 의미에 대한 탐색이었고 그를 (재)구성하려는 시도였다.

앞서 밝혔듯이 이 책에 수록된 글들은 2006년 이래 다양한 지면에 발표했던 연구결과이다. 따라서 지금에 와서 보니 쟁점의 변화도 존재하고 개인적으로 생각이 달라진 대목도 눈에 띄었다. 하지만 글을 발표할 당시에는 유의미한 시의적인 발언이었고, 또 개인의 생각의 변화를 보여주는 것도 의미가 있는 일이라는 판단 하에 크게 손을 보지 않고 원래 모습을 유지하기로 했다. 다만 일반 독자들에게도 부담 없이 다가갈 수 있도록 문장과 형식을 다듬어 학술지적인 색채를 빼고자 했으며, 글을 세 가지 주제로 분류해 나누어 수록했다. 수용사까지는 아니지만, 동일한 주제를 다루고 있는 글들이라 함께 읽으면 우리 시대의 핵심적 쟁점들을 사유하는 장으로서 셰익스피어가 어떻게 소환되고 있는가를 더 풍부하게 확인할 수 있으리라는 기대에서였다.

제1부에서는 계급과 폭력의 문제와 대결하는 셰익스피어 다시쓰기 작품들인 베르톨트 브레히트의 『코리올란』과 하워드 제이콥슨의 『샤일록은 내 이름』을 다루는 글들을 수록했다. 두 작품은 쓰인 시기와 상황은 매우 상이하지만, 개작자의 강한 정치적 입장과 의도가 표현되고 있고 또 독자와 관객을 불편하게 만드는 다시쓰기 작품이라는 점에서 유사성을 갖는다. 따라서 독자와 관객이 이 다시쓰기 작품들을 읽고 보며 느끼게 되는 불편함의 정체에 대해 살피며 개작 연구의 목적이 무엇인가라는 질문에도 답해 보고자 했다.

제2부에서는 우리 시대의 인종 문제와 대결하는 셰익스피어 다시쓰기 시도들로 9.11에 대한 반응을 담고 있는 마이클 래드포드 감독의 영화 〈베니스의 상인〉과 셰익스피어의 『오셀로』의 다시쓰기인 카릴

필립스의『피의 본성』과 자넷 시어스의『할렘 듀엣』을 분석한 글들을 모았다. 이 작품들은 인종의 문제와 대결하고 있다는 점 말고도 셰익스피어 다시쓰기가 셰익스피어를 경유해 현대의 이론적 논쟁에 개입하는 일이기도 함을 보여준다는 점에서 유사점을 갖는다. 따라서 이 세 편의 다시쓰기를 읽으며 우리 시대의 인종과 인종주의에 대한 이론적 논쟁의 쟁점들을 확인하고 평가해보고자 했다.

　마지막으로 제3부에서 다루는 작품은 여성 작가들의 셰익스피어 다시쓰기인 제인 스마일리의『천 에이커』와 마리나 워너의『인디고』와 미셸 클리프의『하늘로 통하는 전화는 없다』이다. 스마일리의『천 에이커』가 고너릴의 입장에서 다시 쓴『리어왕』이라면,『인디고』와『하늘로 통하는 전화는 없다』는 미란다의 입장에서 다시 쓴『태풍』이다. 여성들의 다시쓰기는 셰익스피어의 개작과 개작 연구에서 가장 활발하고 뛰어난 성취를 보여주는 분야인데, 이 작품들은 여성의 목소리도 여성이 처한 인종적 지리적 상황에 따라 하나가 아님을 보여준다는 점에서 흥미로운 사례들이다. 따라서 이 작품들의 비교는 우리 시대의 페미니즘에 존재하는 갈등과 차이에 대해서도 생각해보는 기회를 제공해 줄 것이다.

　지난 연구의 결과물을 하나의 책으로 묶고 보니 한편으로 문제의식이 분명해지는 면도 있지만 부족한 점이 더 많이 눈에 띈다. 가장 아쉬운 점은 한국에서의 다시쓰기 시도들에 대한 연구가 없다는 점이다. 특히 '21세기 대한민국에서, 셰익스피어 연구자이면서 동시에 대학에서 교양교육을 담당한 교육자로서 살아간다는 것이 무엇인지'가 연구를 촉발한 개인적 동기였다고 밝힌 마당이라, 그 빈곳이 더 크게 보인다. 여러 변명거리가 떠오르지만, 그것은 변명일 뿐이며, 이 책이 나의 빈곳과 모순을 확인하고 그것을 채워가려는 노력의 시작점이 되기를 희망할 뿐이다.

2021년 5월
김영아

제3부 셰익스피어를 통해 생각하는 우리 시대의 여성 문제

제1부

셰익스피어를 통해 생각하는
우리 시대의 계급과 폭력

제1장

베르톨트 브레히트의 『코리올란』
영웅의 비극에서 민중의 비극으로

셰익스피어 개작 연구의 현황과 목표

20세기 말 이후 셰익스피어 학계에서 가장 활발한 활동을 보여주는 분야 중 하나는 셰익스피어 다시쓰기 혹은 개작에 관한 연구이다. 사실 셰익스피어 개작 연구는 오랫동안 셰익스피어 학계에서 상대적으로 주변화되고 이론화되지 않았던 분야였다. 지난 400년간 셰익스피어 극작품이 지속적인 개작의 대상이 되고, 수많은 창조적 극작가, 소설가, 시인들, 그리고 20세기에 들어서는 영화감독들이 셰익스피어의 극을 재료로 삼아 다양한 형태의 훌륭한 다시쓰기 작품을 생산했던 것을 생각해볼 때 개작 연구의 경시는 모순적으로 느껴지기도 하는데, 그 배경에는 '독창성'을 예술 작품을 평가하는 가장 중요한 기준으로 간주하는 태도가 존재한다. 그 기준에 따르면 개작은 원전에 비해 언제나 한 급 떨어지는 열등한 존재일 수밖에 없었고, 따라서 개작은 진지한 문학연구의 대상이 될 수 없었다. 그런데 20세기 후반에 이르러 '독창성'의 개념과 그 개념이 전제하는 작가성, 작가와 작품, 독자(수용자)의 관계에 대한 전면적인 도전과 재검토가 이루어졌고, 이 논의들은 그동안 경시되던 셰익스피어 개작 연구가 중요한 연구 분야로 자리 잡고 부흥하게 된 이론적 토대가 되었다.

셰익스피어 개작 연구의 발전에 가장 큰 영향을 준 것은 롤랑 바르뜨(Roland Barthes)와 줄리아 크리스테바(Julia Kristeva)가 발전시킨 상호텍스트성(intertextuality) 개념이다.[1] 바르뜨는 문학작품 안에는 언제나 이전 작품들과 주변 문화들이 존재한다는 점에서 "모든 텍스트는 상호텍스트"[2]라고 천명하며, 크리스테바도 역시 모든 텍스트는 "텍스트들의 순열, 상호텍스트"(a permutation of texts, an intertextuality)[3]라고

---

1) Roland Barthes, "Theory of the Text," *Untying the Text: A Post-Structuralist Reader,* ed. R. Young (London: Routledge, 1981); Julia Kristeva, "The Bounded Text," *Desire in Language: A Semiotic Approach to Literature and Art,* trans. Thomas Gora, Alice Jardine, and Leon S. Roudiez., ed. Leon S. Roudiez (Oxford: Blackwell, 1980)
2) Barthes, 같은 책 39.
3) Kristeva, 같은 글 36.

주장한다. 이것은 글쓰기가 '독창성'을 숭상하는 이들이 상상하듯 자유로운 천재의 고독한 창작의 산물이 아니라, 이미 존재하는 다양한 문화적 재료들을 다시 고쳐 짜는 것이며, 따라서 텍스트의 의미는 어떤 한 작가의 독창성이나 특수성에 귀속되는 것이 아닌, 텍스트 내에 존재하는 다양한 재료들(텍스트들과 문화들)의 상호관계에서 발생함을 주장하는 것이다. 이들이 주장하듯이 모든 글쓰기, 즉 문학작품이 본래 다양한 텍스트들을 다시 고쳐 짜는 '다시쓰기' 작업이라면, 개작은 그것의 일종인, 특수한 한 형태의 창작 작업이 된다. 그 결과 개작들도 원작의 열등한 혹은 이차적인 모방품이 아니라, 어떻게 보면 문학작품의 상호텍스트적인 창작 작업을 가장 잘 보여주는 독자적 가치와 의미를 지니는 대상으로 인정받을 수 있는 이론적 근거가 마련된다.

20세기 말 이후 쏟아져 나오고 있는 셰익스피어극의 개작 연구들은 개작작품의 장르가 다양하고 또 개작이 원작과 맺고 있는 관계 역시 워낙 다양한 만큼, 다루는 영역과 관심사에서도 다양한 모습을 보여준다. 하지만 한 가지 공통점을 보이는데, 그것은 앞서 언급한 상호텍스트성의 개념을 수용해서 원작에 충실함이 개작 분석의 기준이 될 수 없음을 주장한다는 점이다. 그 이유는 이들이 보기에 충실함이라는 기준은 결국 원작의 우월함을 암묵적으로 전제하는 것이기 때문이다. 이를테면 라이치(Thomas M. Leitch)는 2003년 발표된 셰익스피어의 영화에 관한 연구가 흔히 보이는 인식상의 오류들을 분석하는 글에서 개작작품을 그 너머의 풍경(원작)을 보기 위한 "창문"이 아니라 그 자체로 의미가 있는 "그림"에 비유한다. 그리고 셰익스피어의 영화 연구자들에게 "창문"을 통해 보이는 원작의 흔적을 추적하기를 멈추고 "그림" 자체에 주목할 것을 요구한다.[4]

그런데 현대 개작 연구의 이론가들은 이렇듯 원작과 개작간의 위계관계를 부정하며 개작의 독자적 가치를 인정하는 것에서 한발 더 나아가 종종 개작 연구에서 가치평가 자체를 꺼리고 부인하는 모습을 보이기도 한다. 그리고 그 바탕에는 과연 가치평가의 객관적 기준이 존재하는가에 대한 회의가 자리한다. 샌더스(Julie Sanders)는 이러한 경향을 보여주는 대표적 학자인데, 그는 개작 연구의 목표는 "좋은 개작"과 "나쁜 개작"을 구분하는 "양극화된 가치평가"가 아니라 상호텍스트적인 창작 작업의 "과정과 이데올로기, 방법론에 대한 분석"이 되어야 한다고 주장하며, 개작 작품에 대한 평가를 그것의 '시대적 효용성'을 확인하고 분석하는 작업으로 대체하는 모습을 보인다.[5]

이들이 경계하듯이 '원작에 충실함'이 개작 연구에 있어 생산적이지 못할뿐더러 정치적이기까지 한 기준이라는 점은 틀림없고, 원작의 우월함을 전제하는 "가치평가"는 마땅히 지양해야 할 일이다. 왜냐하면 개작 연구의 일차적 목표는 원작이 아닌 개작에 대한 이해이자 연구이기 때문이다. 따라서 개작 연구의 첫 번째 질문은 원작의 정신을 충실하게 담아냈는가가 아니라, 원작을 왜, 그리고 어떻게 다시 쓰고

---

4) Thomas Leitch, "Twelve Fallacies in Contemporary Adaptation Theory," *Criticism* 45.2 (2003): 166.

5) Julie Sanders, *Adaptation and Appropriation* (London: Routledge, 2006) 20.

있는가가 되어야 한다. 그리고 그 질문을 통해 개작작품의 상호텍스트적 창작 작업의 "과정과 이데올로기, 방법론"을 분석해야한다. 특히 이 질문은 개작이 원작을 단순히 참조하는 것이 아니라 그에 적극적으로 도전하고 재해석하는 경우라면 더욱 긴요하다고 생각된다.

그런데 개작 연구가 "과정과 이데올로기, 방법론에 대한 분석"에만 그칠 수 있을지, 다시 말해 시대적 효용성만으로 개작을 온전히 평가할 수 있을지는 의문이다. 그 이유는 문학 연구가 작품이 주는 감동을 논리적으로 설명하고 설득하는 작업이라면, 개작 연구 역시 개작자의 다시쓰기 결과인 이 작품들이 얼마나 성공적인가, 다시 말해 '우리에게 감동을 주는가'라는 질문을 던지게 마련이고 마땅히 그래야 한다고 생각되기 때문이다. 그런데 시대적 효용성이라는 개념은 이 질문에서 어떤 개작은 자신의 시대를 뛰어넘어 감동을 주는 반면, 다른 개작은 감동을 주지 못하는지 그 차이를 설명해주지 못한다. 개작 연구 역시 연구자의 가치관과 기호, 그리고 "주변 문화들"이 개입할 수밖에 없는 상호텍스트적 작업이라는 점에서 원작과 개작, 그리고 개작 연구자 삼자간의 대화라고 할 수 있다. 따라서 개작 연구자는 원작과 개작간의 '상호텍스트적' 대화를 분석하고 '시대적 효용성'을 밝혀내는 동시에, 개작이 자신의 시대를 뛰어넘어 우리 시대에도 감동과 의미를 주는지를 묻고 "가치평가"를 해야 하며, 그래야만 제대로 된 이른바 삼자간의 대화가 완성될 수 있다.

『코리올레이너스』 다시쓰기 작품들

이 글은 셰익스피어의 『코리올레이너스』(*Coriolanus*)[6] 다시쓰기 중 하나인 베르톨트 브레히트(Bertolt Brecht)의 『코리올란』(*Coriolan*)의 분석을 통해 이 질문-개작 연구의 목표는 무엇일까-에 대해 생각해 보려는 시도이다.[7] 셰익스피어의 극 중 유일하게 "대중들의 폭력"[8]으로 시작되는 『코리올레이너스』는 많은 평자들이 지적하듯이 셰익스피어의 극 중 계급갈등의 문제가 가장 전면에 부각되는 극이다. 이 극은 폭군 타르퀸(Tarquin)을 몰아낸 후, 로마의 귀족들이 자신들의 지배권을 유지하기 위해 호민관 제도의 도입이라는 형태로 평민들을 통치의 동반자로 인정할 수밖에 없었던 로마공화정 초기의 정치적 격변기를 배경으로 한다. 셰익스피어의 극은 바로 민중들의 봉기를 잠재우기 위해 귀족들이 호민관 제도를 수용하는 대목에서 시작해서, 그 이후 벌어지는 '누가 로마의 주인인가'의 문제를 둘러싼 귀족들과 평민들 간의 계급갈등과 정치적 권력다툼을 배경으로 귀족인 코리올레이너스 장군

---

6) William Shakespeare, *Coriolanus*, ed. Lee Bliss (Cambridge: Cambridge UP, 2010)

7) 브레히트의 극은 랠프 만하임과 존 윌레트가 편집한 『희곡집』 9권에 수록된 『코리올레이너스』를 사용했다. 만하임과 윌레트는 로마식 표기를 따르고 있지만, 브레히트가 붙인 독일어식 표기를 따르고, 또 셰익스피어 극과 구별하고자하는 의도에서 이 논문에서는 '코리올란'이라는 표기를 사용했다. Bertolt Brecht, *Coriolanus. Collected Plays*, Vol. 9, eds. Ralph Manheim and John Willett (New York: Pantheon Books, 1972)

8) Philip Brockbank, Introduction, William Shakespeare, *Coriolanus* (London: Methuen, 1976) 95.

이 로마의 영웅에서 배신자로 전락하는 과정을 극화한다.

이렇듯 귀족과 평민간의 계급 갈등이 전면에 부각되었던 탓에『코리올레이너스』는 셰익스피어의 극 중 가장 빈번하게 정치적 목적을 위해 전유되고 개작되어온 작품 중 하나이다.9) 1681년 네이험 테이트(Nahum Tate, 1652-1715)가『코리올레이너스』를『공화국의 배은망덕』(The Ingratitude of a Common-Weale, 1681)으로 다시 쓰며 구교도들의 음모(Popish Plot, 1678)와 왕위승계배제위기(Exclusion Crisis, 1678-1681) 시기에 국왕에 대한 복종과 충성의 필요성을 선전했듯이,10) 수많은 작가들과 무대 연출자들은『코리올레이너스』의 로마 민중과 귀족들의 계급갈등에 자신들의 시대상황을 투영해서 이를 재해석하고 전유했다.

브레히트의『코리올란』도 그 예 중 하나이다. 그런데 대부분의 재해석과 전유가 테이트의 예와 마찬가지로 지배층의 입장에서 어리석고 변덕스러운 대중에 기반을 둔 대중 민주주의의 위험과 질서의 중요성을 보여주기 위한 것이었다면, 맑스주의 극작가였던 브레히트의『코리올란』은 브레히트가 생각하는 민중의 입장에서 다시 쓴『코리올레이너스』이다. 브레히트는 원전인 셰익스피어 극의 인물과 플롯, 상황을 충실히 따르면서도, 당대 독일의 정치적 상황과 목표에 따라 상당한 변형을 가해 새로운 극을 창조한다. 따라서 브레히트의『코리

---

9)『코리올레이너스』의 정치적 전유와 개작의 예에 대한 설명은 Annabel Patterson, *Shakespeare and the Popular Voice* (Cambridge: Blackwell, 1989) 121-122 참조.
10) Patterson, 같은 책 121.

올란』은 '원작에 적극적으로 도전하고 재해석하는 개작'의 예에 해당한다. 특히 브레히트는 20세기를 대표하는 뛰어난 극작가로서, 그의 개작은 자신의 시대에 대한 치열한 고민의 산물로서 그의 시대와 셰익스피어의 대화를 보여주는 중요한 의의를 지니는 작품이다. 브레히트의 개작은 셰익스피어 극의 새로운 해석을 보여주는 작품으로 1960-70년대에 크게 주목받았지만,[11] 오늘날에 이르러서는 원작인 셰익스피어의 극이 여전히 개작과 재해석의 대상이 되고 있는 것과 대조적으로 관객과 비평가들의 관심을 끌지는 못하고 있다.

이 글은 우선 브레히트가 셰익스피어의 극을 어떻게 변형하는지, 그 의도와 효과가 무엇인지를 살펴볼 것이다. 그리고 역사적으로 중요한 의의를 지니는 이 개작이 21세기를 살아가는 우리들의 관심에서 멀어진 이유는 무엇인지를 살피며, 개작 연구가 할 일과 그 목표에 대해 생각해보자 한다.

브레히트의 서사극과 셰익스피어

브레히트에게 셰익스피어는 평생 연구대상이었고, 그가 셰익스피어 극들을 자신의 새로운 극인 일명 "서사극"(epic theatre) 혹은 "변증법

---

11) 서구 연극계가 브레히트의 『코리올란』을 어떻게 수용했는가에 대해서는 John Ripley, *Coriolanus on Stage in England and America 1609-1994* (Cranbury: Associated UP, 1998) 307-314 참조.

적 극"(dialectical theater)을 위한 전거로 삼았음은 잘 알려진 사실이다. 또 브레히트는 자신의 극 중 여러 편에서 셰익스피어 극작품의 장면과 상황을 빌려오곤 했는데,[12] 셰익스피어의 극을 원전으로 삼아서 그를 충실히 따르며 본격적으로 개작 작업을 시도한 예는 『코리올란』이 유일하다. 그렇다면 수많은 셰익스피어의 극 중에서 브레히트는 왜 『코리올레이너스』에 주목했던 것일까. 브레히트 자신의 발언이 남아있지 않으니 그 답을 확인할 길은 없지만, 우선 앞서 이야기했듯이 『코리올레이너스』가 계급갈등과 정치적 권력다툼의 문제를 전면에 부각하는 극이라는 점에서 한 가지 이유를 찾을 수 있을 것이다.

브레히트가 『코리올레이너스』의 개작 작업을 시작한 것은 1951년이다. 1945년 제 2차 세계대전이 끝난 후 1949년 그가 열망하던 독일민주공화국(German Democratic Republic)이 수립되었지만 동독 공산주의는 서독으로 탈출하는 동독인들의 수가 지속적으로 증가하는 등 위기를 겪고 있었다. 브레히트는 당대의 이 위기를 분석하고 진정한 사회주의의 의미를 되새길 필요가 있었고, 이런 브레히트에게 로마공화정 초기에 민중들이 처음으로 정치적 주체로 인정받기 시작하면서 벌어진 귀족과 민중들의 갈등을 극화한 『코리올레이너스』는 매우 시의적절한 작품이었을 것이다. 특히 브레히트가 동료들과 함께 『코리올레

---

12) Margot Heinemann, "How Brecht Read Shakespeare," *Political Shakespeare: New Essays in Cultural Materialism,* eds. Jonathan Dollimore and Alan Sinfield (Manchester: Manchester UP, 1985) 219-223.

이너스』의 첫 장면을 분석한 글을 보면, 이 극에서 계급갈등을 극화하는 셰익스피어의 통찰력과 변증법에 대해 그가 감탄을 보내고 있음을 알 수 있다.

크고 작은 갈등이 모두 한 장면에서 동시에 펼쳐지고 있지요. 굶주린 평민들의 불안에 더해 이웃 나라인 볼스키(the Volscians) 족과의 전쟁이 그려지고, 민중들의 적인 마르시우스(Marcius)에 대한 평민들의 증오와 그의 애국주의가 나란히 형상화되며, 민중들을 위한 호민관 자리가 만들어지면서 동시에 마르시우스는 전쟁에서 주도적 역할을 담당하는 직책에 임명되지요. 부르주아 극장에서 우리가 이런 것들을 얼마나 찾아볼 수가 있을까요?[13]

또 하나의 개작 동기는 극 외부적 요인으로 나치 치하에서 『코리올레이너스』가 『베니스의 상인』(The Merchant of Venice)과 함께 셰익스피어의 극 중 가장 빈번하게 정치적 선전선동을 위해 동원되었던 작품이었다는 점에서 찾을 수 있다.[14] 나치 지지자인 후스게스(H. Husges)

---

13) Bertolt Brecht, "Study of the First Scene of Shakespeare's *Coriolanus,*" *Brecht on Theatre,* ed. and trans. John Willett (London: Methuen, 1964) 255.

14) 나치의 『코리올레이너스』 수용에 관해서는 Bryan Reynolds, "'What is the city but the people?': Transversal Performance and Radical Politics in Shakespeare's *Coriolanus* and Brecht's *Coriolan,*'" *Shakespeare without Class: Misappropriations of Cultural Capital,* eds. Donald Keith Hedrick and Bryan Randolph Reynolds (New York: MacMillan, 2000) 119-121; Balz Engler, "The Noise That Banish'd Martius: *Coriolanus* in Post-War Germany," *Renaissance Refractions: Essays in Honour of*

가 독일어판 『코리올레이너스』에 붙인 서문의 다음 구절은 나치 정권
이 셰익스피어의 이 극을 어떻게 정치적 목적을 위해 전유하고 동원
했는지를 잘 보여주는 흥미로운 자료다.

셰익스피어의 마지막 작품이자 가장 무르익은 이 극이 새로운 독일에
주는 의미는 이 작품에 내재된 영웅성에 있다. 시인은 인민(Volk)과 지
도자(Führer)라는 문제를 다룬다. 그는 무분별한 대중에 대비해서 지도
자의 진정한 본성을 극적으로 그려낸다. 그는 잘못된 길로 들어선 인민
을 그려내고, 대변인이라는 자들이 자신의 이기적인 목적 때문에 인민
이 바라는 것을 따르는 가짜 민주주의를 그려낸다. 진정한 영웅이자 지
도자인 코리올레이너스는 이 변변치 못한 인간들 위에 우뚝 서있다. 오
늘날 아돌프 히틀러가 사랑하는 우리 조국 독일을 이끌어 가려 하듯, 그
는 길 잃은 대중을 재생의 길로 이끌어 가려 한다.[15]

나치 지지자들의 이러한 『코리올레이너스』해석은 브레히트가 자
신이 추구하는 새로운 극을 '서사극'으로 규정하면서 지양하고자 했던
'감정이입'(empathy)에 바탕을 둔 '부르주아극'의 가장 부정적이며 극단
적 양상을 보여주는 예이기도 하다라는 점에서 흥미롭다. 앞서도 지적
한 것처럼 브레히트에게 "위대한 현실주의자"인 셰익스피어는 무한한

Alexander Shurbanov, eds. Boika Sokolova and Evgenia Pancheva (Sofia: St Kliment
    Ohridski UP, 2001) 179-183 참조.
15) Reynolds, 같은 글 127에서 재인용.

애정과 존경의 대상이면서, 다른 한편으로 넘어서고 절연해야 할 대상이기도 했다. 왜냐하면 셰익스피어는 브레히트가 비판했던 독일 부르주아 고전극장의 핵심 공연목록으로 개인주의와 영웅숭배를 보여주는 극이기도 했기 때문이다.

브레히트는 당대 독일의 셰익스피어 연극들이 영웅적 주인공의 개인적 시련과 파멸, 성장 과정에만 주목하고 감정이입을 통해 관객들이 영웅들의 운명에 공감하도록 조장해서 비판적 사고와 판단을 마비시킨다고 비판했으며, 이를 "식인종들을 위한 극"이라고 부르기까지 한다.16) 그런데 하이네만(Margot Heinemann)의 지적처럼 감정이입에 대한 브레히트의 이 반감은 미학적 취향의 문제였을 뿐 아니라, 정치적이며 역사적인 문제이기도 했다. 왜냐하면 '감정이입'은 바로 히틀러가 대중을 선전 선동하기 위해 의존했던 방식이었기 때문이다. 나치 정권이 대규모 정치집회에서 대중의 감성을 자극하는 선동적인 음악과 색채를 동원해서 지도자인 히틀러를 영웅시했고, 청중들로 하여금 지도자의 운명에 감정이입해서 지도자와 자신들을 동일시하도록 했음은 잘 알려진 사실이다. 위 인용문이 보여주듯이 영웅 코리올레이너스의 이야기는 바로 히틀러의 선전선동의 도구 중 하나였고, 따라서 브레히트의 『코리올레이너스』 개작은 히틀러의 영웅 숭배적인 파시즘에 대한 싸움이자 또 한낱 파시즘의 선전도구로 왜곡된 "위대한 현실주의자"인 셰익스피어를 바로 세우는 일이었을 것이라고 짐작 가능하다.

---

16) Heinemann, 앞의 글 20에서 재인용.

브레히트의 『코리올란』

브레히트는 동료들과의 대화 중에 『코리올레이너스』를 "[민중에게] 적대적인 영웅을 가졌던 민중의 비극"[17)]이라고 정의하는데, 이는 브레히트의 개작 방향을 잘 표현해준다. 나치의 『코리올레이너스』가 무분별한 군중과 그에 영합하는 사이비 지도자들 때문에 고통 받는 영웅의 비극이었다면, 브레히트는 이를 잘못된 '영웅' 때문에 겪는 로마 민중의 비극으로 다시 쓰며, 영웅이 꼭 필요한 것은 아니며 역사의 주인은 바로 민중 자신임을 이야기하고자 한다. 하지만 그렇다고 해서 코리올레이너스를 전적으로 공감할 수 없고 경멸할만한 인물로 그리지는 않는다. 코리올레이너스는 브레히트의 극에서도 여전히 용감하고 뛰어난 군인이고 오만함과 편협한 계급관만 아니었으면 국가에 큰 기여를 했을 인물로 그려진다. 다만 브레히트는—그가 묘사하듯이— "코리올레이너스의 비극이자 로마와 평민들의 비극"인 『코리올레이너스』에서 전자에 해당하는 대목을 대폭 축소하고 후자의 이야기에 초점을 맞춘다.

이를테면 셰익스피어의 극과 비교해 브레히트의 극에서는 코리올레이너스와 어머니 볼럼니아의 관계, 그리고 코리올레이너스와 볼스키의 장수 아우피디우스(Aufidius)의 관계를 보여주는 장면과 대사들이 대폭 삭제 혹은 축소된다. 특히 적장이면서도 코리올레이너스가 유일

---

17) Brecht, "Study of the First Scene" 258.

하게 자신의 맞수로 인정하는 아우피디우스는 브레히트의 극에서는 추방당한 코리올란이 그의 집을 찾아가는 4막 2장에 이르러서야 처음 그 모습을 드러낸다. 이는 셰익스피어의 극이 1막 2장부터 그를 등장시켜 코리올레이너스와 대조시키며 그를 부각시켰던 것과 대비된다. 그리고 그 결과 계급갈등이 한층 더 강조된다.

브레히트의 계급갈등을 강조하려는 의도가 돋보이는 변형은 바로 곡물배분 문제를 과거의 사건이 아니라 현재적 쟁점으로 그린다는 점이다. 곡물배분은 식량 부족에 항거하는 민중들의 난으로 시작하는 셰익스피어 극에서도 귀족과 민중들 간의 갈등을 촉발하는 계기이자 계급갈등을 보여주는 중요한 문제이다. 민중들은 식량부족이 천재지변 탓이 아니라 귀족들이 포식하고 "남아돌아가는 것만 썩기 전에 우리에게 준다면"(If they would yield us but the superfluity while it were wholesome 1.1.13-4) 해결할 수 있는 사회구조적 문제임을 지적한다. 특히 민중들은 코리올레이너스를 주적(主敵)으로 지목하는데 그 이유는 그가 굶주린 민중들에게 곡물을 무료로 배분하는 것을 반대했기 때문이다. 곡물배분의 문제는 셰익스피어와 그 극의 원전에 해당하는 역사적 사료들의 차이를 보여주는 대목이기도 하다. 역사적 사료들에 따르면 코리올리 전투가 시기적으로 앞서고 민중들의 식량난은 그 후에 벌어지는 일이다. 그런데 셰익스피어는 두 사건의 시간적 순서를 바꾸어 곡물배분을 첫 대목부터 핵심적 쟁점으로 제기하며 이를 둘러싼 계급갈등을 강조한다.[18]

브레히트는 바로 이 곡물배분의 문제를 2막 3장에서 다시 한 번 코리올란과 민중들의 갈등의 핵심적 쟁점으로 극화한다. 이 장면은 주인공 코리올레이너스가 로마의 영웅에서 배신자로 전락하는 극의 핵심적 사건이 벌어지는 대목이다. 코리올리 전투에서 혁혁한 전공을 세운 코리올레이너스는 그 공을 인정받아 원로원에서 집정관으로 추대된다. 그리고 사건은 집정관이 되기 위해서는 민중들의 동의를 얻는 절차를 거쳐야 한다는 점에서 시작된다. 평소 민중들을 경멸하던 코리올레이너스는 평소의 소신을 접고 마지못해 누추한 옷을 입고 광장에 서서 민중들에게 지지를 부탁하며, 결국 표를 얻는데 성공한다. 그런데 민중들이 이 결정을 번복하고, 코리올레이너스는 하루아침에 로마의 영웅에서 역적이 되어 추방된다. 셰익스피어의 극에서는 호민관들의 계략이 민중들의 변심에서 빚어진 사태의 반전에 큰 역할을 한 것으로 그려진다. 극의 초반부터 민중의 대표인 호민관들과 민중의 세력이 커지는 것을 경계하는 코리올레이너스는 서로 견제하고 질시하는 관계일 수밖에 없다. 셰익스피어의 호민관들은 코리올레이너스와 귀족들이 퇴장한 뒤 민중들에게 다가가, 오만한 코리올레이너스에 대해 민중들이 평소에 품고 있던 의심과 적대감을 부추기며 코리올레이너스가 집정관이 되는 것에 동의했던 결정을 번복하도록 선동한다 (2.3.140-259).

---

18) 셰익스피어가 역사적 사건을 어떻게 변형하는가에 관해서는 David Wheeler, Introduction, *Coriolanus. Shakespeare Criticism,* Vol. 11, ed. David Wheeler (New York: Garland Publishing, 1995) xx-xxi 참조.

그런데 브레히트는 호민관들이 민중들을 부추기는 이 대목을 완전히 삭제하고, 코리올란을 추방하기로 결정을 내리는 것이 집정관 추대절차 중에 벌어진 일로 변형한다. 브레히트의 극에서 호민관들은 코리올란이 과연 집정관으로 적합한 인물인지 자질을 검증하는 절차를 제안한다. 현대 민주주의사회에서 공직자들을 대상으로 한 청문회를 연상시키는 이 절차는 셰익스피어의 극은 물론 사료에도 없는 일화로 시대착오적이긴 하다. 그런데 셰익스피어의 극에서 누추한 옷을 입고 나와 자신이 전쟁에서 나라를 지키다 입은 상처를 보여주며 민중들의 표를 구걸하는 절차가 현대인들이 보기에 우스꽝스러운 면이 있다면, 브레히트의 이 변형은 이 절차를 근대적 관점에서 한층 더 합리적이고 정당한 것으로 만든다. 그 결과 이 절차에 경멸을 표하며 마지못해 임하는 코리올란에게 관객들이 공감할 여지를 박탈하고, 민중에 대한 코리올란의 경멸과 적대감을 부각시킨다. 그리고 호민관들이 "민중의 이름으로" 코리올란의 자질을 검증하기 위해 제기하는 쟁점이 바로 '곡물분배' 문제이다.

시시니우스   코리올레이너스, 정복지 앤티움에서 온 배가
막 항구에 도착했습니다. 곡물을 싣고요.
볼스키와의 피비린내 나는 전쟁으로 얻은
노획물이자 조공이지요. 고귀한 마르시우스,
집정관이 되신다면 이 곡물을 어떻게 처리하실 건가요?
(2.3.100)[19]

호민관들이 이 질문을 던지는 이유는 코리올란이 과거에 식량부족을 호소하는 민중들에게 무료로 곡물을 배분하자는 제안을 반대한 경력이 있기 때문이다. 그런데 이 질문은 오만한 코리올란을 자극한다. 그는 이를 호민관들의 정치적 "계략"으로 받아들이며 메네니우스(Menenius)와 다른 귀족들의 만류에도 불구하고 흥분해서 민중들을 "쓰레기 같은 폭도"(the filthy rabble, 2.3, 101)들로 매도한다. 그리고 민중들이 요구한다고 해서 무료로 식량을 배분한다면 불복종만 키울 뿐이라고 대꾸하며(You don't feed virtue when you give free grain. /You're feeding disobedience, fattening it/For insurrection, 2.3, 101), 그의 반민중적인 본색을 노골적으로 드러낸다. 코리올란의 답변은 당연히 호민관들과 민중들의 분노를 촉발하며, 그 결과 로마는 분노한 민중들과 그들로부터 코리올란을 지키려는 귀족들 간의 일종의 계급전쟁 상황에 처하게 된다. 코리올란의 추방은 바로 이 와중에 벌어진다.

이처럼 곡물분배의 문제를 과거의 일이 아닌 코리올란의 추방을 초래한 결정적 원인으로 변형하며, 브레히트는 코리올란의 비극이 성격적 결함에서 비롯한 것으로, 그래서―메네니우스나 어머니 볼럼니아(Volumnia)의 조언대로―만약 그가 조금만 더 정치가답게, 전략적으로 행동했다면 피할 수 있었던 것으로 해석될 여지를 없앤다. 그리고 동시에 민중들의 선택에 합리적 근거를 마련한다. 전통적 비평들이 셰

---

19) 브레히트의 극에는 라인의 표시가 생략되어 있다. 그래서 막과 장에 이어 페이지 수를 명기했다.

익스피어의 『코리올레이너스』를 반민중적 극으로 평가하며 이 대목을 민중들의 변덕스러움과 무분별함을 보여주는 중요한 근거로 삼았다면, 브레히트의 극에서 민중들의 행동은 호민관들의 계략에 조정당한 결과가 아니라 민중의 적인 코리올란에 대한 정당한 분노에 기초한 것이고, 재앙이 될 수 있었던 자신들의 어리석은 선택을 늦기 전에 철회하는 것으로 그려진다.

브레히트의 민중들

코리올란과 민중들의 대결이 이렇듯 계급갈등임을 강조하며 당연히 브레히트의 공감은 민중들을 향하지만, 그렇다고 해서 이들을 이상화하지는 않는다. 그는 민중들의 우스꽝스러운 면을 생략하지 않고 있고, 또 그들을 단합된 존재로도 그리지도 않는다. 브레히트는 코리올란과 민중들이 직접 만나는 이 장면(2막 3장)에 셰익스피어의 극에는 없는 세 사람의 시민(아이를 동반한 남자, 구두장이, 정원사)을 등장시킨다. 셰익스피어의 극에서 민중들이 번호로만 구분되어 있다면 브레히트는 이들에게 구체적 직업과 상황을 부여해서 각기 개성을 부여하고, 이들이 각각 코리올란을 왜 집정관으로 선택하는지를 보여준다. 그런데 이들이 국가의 지도자인 집정관을 선택하는 기준은 본인에게 물질적으로 이득이 되는가이다. 아이를 동반한 남자는 단지 코리올란이 코리올리 시를 정복해서 로마의 부와 영토를 넓혔다는 이유로 한 표를 던지고, 구두장이 역시 전쟁이 나면 구두가격이 오르기 마련이라는 이유로 "살아있는 전쟁의 화신"(the living embodiment of war, 97)인 코리올란이 집정관이 되는데 기꺼이 동의한다. 자신들의 운명을 결정할 국가의 지도자를 뽑는 자리에서 개인적 이득만을 생각하고 공동체나 민중 전체에 대한 고려를 찾기 힘들다는 점에서 이들의 모습은 조금은 실망스럽고 독자들로 하여금 브레히트의 의도에 의아함을 품게 한다.

브레히트가 동료들과 『코리올레이너스』 1막 1장을 분석하는 대화는 이 장면을 이해하는데 하나의 실마리를 제공해준다. 그는 이 대화에서 셰익스피어의 극에서 민중들이 단합되지 못하고 우스꽝스럽게 그려진다고 불만을 표하는 동료들에게, 피억압자인 민중들의 단합이 얼마나 어려운지를 이야기한다. 불행한 처지는 민중들을 단합하게도 하지만 동시에 서로를 적으로 만들며, 따라서 피지배자들이 지배자의 언어와 법에 반역하는 일이, 곧 새로운 법과 언어를 만드는 일이 얼마나 어려운지를 지적하며, 그는 "위대한 현실주의자"인 셰익스피어의 통찰과 선택을 옹호한다.[20] 2막 3장은 브레히트가 언급하고 있는 피억압자로서의 민중들의 딜레마를 잘 보여주는 장면으로, 민중들이 통합되지 못하고 다양한 욕망을 지닌 군상들로 형상화되고 있다는 점은 셰익스피어 못지않은 "위대한 현실주의자" 브레히트의 면모를 확인시켜준다고 생각된다.

다른 한편으로 브레히트는 이 장면의 민중들의 모습을 통해 "거

---

20) Brecht, "Study of the First Scene" 252-253.

리두기 효과"(Alienation Effects)를 노리고 있다고 볼 수 있다. 박우수는 브레히트가 "거리두기 효과"를 설명하며 예로 들었던 피터 브뤼겔(Pieter Brueghel)의 그림 〈이카루스의 추락〉(The Fall of Icarus)과 이 장면을 비교한다.21) 브뤼겔의 그림은 화폭을 둘로 나누어, 한쪽에는 지중해 바다로 추락하는 이카루스의 비극을, 그리고 다른 쪽에는 그 비극적 사건엔 전혀 아랑곳하지 않고 묵묵히 밭을 갈고 고기를 잡는 농부와 어부의 모습을 보여준다. 브레히트는 브뤼겔의 이 그림이 "목가"(idyll)와 "파국"을 통합하지 않고 대조시켜서 서로의 차이를 더욱 부각시키며, 그를 통해 사물('목가'와 '파국')의 진실에 대한 소중한 통찰, 즉 "거리두기 효과"를 가능하게 한다고 이야기한다.22)

2막 3장에 브레히트가 삽입한 민중들의 모습도 동일한 효과를 거둔다. 2막 3장이라는 화폭에서 민중들의 맞은편을 차지하는 것은 코리올란과 귀족들이며 그들의 영웅서사이다. 코리올란은 민중들에게 자신을 집정관으로 추대할 것을 청하며 그가 전쟁 중에 입은 수많은 상처들을 보여준다. 상처는 그가 로마를 위기에서 구한 영웅이자 지도자가 될 자격을 지녔음을 보여주는 징표이며, 민중들은 이런 그를 집정

---

21) 박우수. 「브레히트의 셰익스피어 읽기: 『코리오레이누스』 각색을 중심으로」 『고전르네상스영문학』 10.1(2001): 54-5. 박우수는 'Alienation Effects'를 '소격효과'로 번역해 쓰고 있는데, 한자어보다는 우리말 번역이 의미전달의 면에서 더 낫다고 생각해서 이 글에서는 '거리두기 효과'로 번역했다.
22) Bertolt Brecht, "Alienation Effects in the Narrative Pictures of the Elder Brueghel," *Brecht on Theatre,* ed. and trans. John Willett (London: Methuen, 1964) 157-159.

관으로 뽑지 않아 "감사"를 표하지 않는다면 그것은 배은망덕한 짓이될 것이라고 두려워한다. 이는 코리올란과 귀족의 지배를 정당화하는 강력한 신화이며, 집정관 추대의식을 시작하기에 앞서 민중들이 나누는 대화가 보여주듯이 이 이데올로기의 힘은 매우 막강하다.

첫 번째 시민　확실히 말할게. 그가 표를 달라고 한다면 우리는 거절할
　　　　　　　　수 없어.
두 번째 시민　이보게. 우리가 원하면 거절할 수 있는 거야.
첫 번째 시민　맞아. 우리에겐 그럴 권한이 있지. 하지만 그 권한을 행
　　　　　　　　사할 힘이 우리에게 없을 뿐이야. (2.3.94)

신발 가격과 전리품에만 욕심을 내는 브레히트의 민중들은 영웅 서사의 맞은편에 자리하며, 브뤼겔 그림의 농부들처럼 이카루스나 코리올란과 같은 영웅들의 역사 뒤편에서 지속되는 민중들의 존재와 삶을 엿볼 수 있게 해준다. 브레히트는 코리올란과 그의 '상처' 따위에는 아랑곳하지 않는 민중들의 모습을 대조하며 관객에게 묻는다. 영웅의 '상처'와 범부(凡夫)의 밥줄인 신발가격, 둘 중 어떤 것이 더 중요한지를, 그리고 그를 평가하는 기준이 무엇이고 누구의 것인가를.

이 외에도 브레히트의 극에는 평범한 민중들의 삶의 모습을 보여주는 장면들이 다수 등장한다. 브레히트의 개작의 손길이 더해진 4막 1장이 대표적 예인데, 브레히트는 셰익스피어의 극에서 로마인 첩자와 볼스키 사람이 나누는 대화(그들의 신분은 불명확하다)를 로마 평민과 볼스키 족 평민의 만남으로 바꾼다. 그리고 서로 적국에 속해있지만

오랜 친구 사이이기도 한 이들 두 사람이 나누는 대화를 통해 브레히트는 전쟁의 승패에 따라 나라의 주인이 바뀌어도 "먹고, 자고, 세금을 내는" 민초들의 삶은 여전히 지속되고, 또 지속되어야 하는 것임을 보여준다. 이러한 장면들은 전쟁과 같은 귀족들의 역사와 영웅사관에 거리를 두고 비판적 성찰을 유도한다는 점에서 브레히트적이며, 브레히트의 이 개입은 그가 16세기가 아닌, 민중이 역사의 주인임이 적어도 이념적으로는 모두가 동의하는 원칙으로 자리 잡은 20세기의 작가였기에 가능한 성취라고 할 수 있다.

코리올란의 죽음과 민중의 승리

앞서도 지적했지만 브레히트가 이 극을 통해 제기하는 핵심적 질문은 코리올란이 과연 로마에 꼭 필요한 존재인가, 더 나아가 사회는 영웅을 필요로 하는가이다. 이는 셰익스피어의 극에서도 역시 중요한 질문이지만, 브레히트는 이를 극의 전면에 의도적으로 부각시킨다. 브레히트의 의도는 등장인물들로 하여금 직접, 조금은 과하다 싶을 정도로 여러 차례에 걸쳐 이 문제를 거론하고 논쟁하게 하는 데서 확인할 수 있다. 이를테면 브레히트는 2막 3장에서 집정관 선출의식이 시작되기를 기다리며 나누는 민중들의 대화에 셰익스피어의 극에는 없는 다음 대사를 추가한다.

첫 번째 시민	만약 그가 상처를 보여주며 그가 거둔 고귀한 업적에 대해 이야기한다면, 우리는 어느 정도 감사를 표현해야만 해. 그는 꼭 필요한 존재거든.
두 번째 시민	혹 달린 목 같다고 할 수 있지.
첫 번째 시민	무슨 뜻이야?
두 번째 시민	목은 혹이 달렸어도 꼭 필요하거든. 오만이 그의 혹이지.

(2.3.94)

브레히트가 이 질문을 던지며 의도하는 답은 분명하다. 그는 우선 "혹 달린 목"인 코리올란이 로마를 배신하고 그에 맞서 무기를 드는 과정을 통해, 영웅이 필수불가결하기는커녕 오히려 재앙일 수 있음을 보여준다. 그리고 코리올란의 이야기와 병치해 영웅에 의존하던 민중들이 스스로 역사의 주체임을 자각하고 로마를 수호하기 위한 전쟁의 전면에 나서는 과정을 극화한다. 이는 셰익스피어의 극에는 등장하지 않는, 브레히트의 변형이 가장 두드러지는 대목으로, 브레히트는 이 변형을 통해 로마의 주인은 영웅이 아닌 민중임을, 아니 민중이어야 함을 이야기하고 싶어 한다.

브레히트의 극에서 작가인 브레히트를 대신해 민중의 변화를 이끌고 교육하는 이들은 호민관들이다. 이를테면 셰익스피어 극의 1막 1장에서 볼스키 인들이 로마를 침공했다는 소식이 전해진 뒤 이 소식을 대하는 민중들의 태도는 분명치 않으며, 보통 무대에서는 식량부족에 항거해 귀족들을 향해 들었던 무기를 내리고 슬금슬금 도망가는 비겁한 모습으로 표현되곤 했다. 그런데 브레히트는 호민관들로 하여금 민중들에게 "더 나은 로마를 위해 용감한 군인들"(Be valiant soldiers for a better Rome)이 되어줄 것을 감동적 어조로 호소하게 하며, 민중들이 그 조언에 따라 전장으로 향하는 것으로 그린다.

그리고 브레히트의 호민관들은 코리올란이 볼스키 군대와 함께 로마를 향해 진격하고 있다는 소식을 듣고도 매우 의연하게 대처한다. 이는 셰익스피어 극에서의 모습과 매우 대조적인데, 셰익스피어의 호민관들은 예기치 못했던 위기가 닥치자 우왕좌왕할 뿐 코리올레이너스에 맞서서 로마를 지킬 힘은커녕 갈등을 조정할 정치적 능력조차 없어 보인다. 그들은 지금까지 자신들이 적대시하던 코리올레이너스의 친구들인 귀족들에게 매달려 귀족들이 위기를 해결해주기를 속수무책으로 지켜보고만 있을 뿐이다. 무력하기는 민중들도 마찬가지다. 그들은 코리올레이너스를 추방한 것이 진심은 아니었다고 후회하며 (4.6.144-149), 호민관들을 그 책임을 물어 처벌하겠다며 폭동을 일으킨다(5.4.30-34). 로마인들 모두 코리올레이너스가 마음을 바꾸어 주기만을 간절히 바라고 있으며, 그렇지 않다면 로마는 적들의 포탄에 영락없이 불바다가 될 위기의 상황으로 그려진다.

하지만 브레히트에서는 코리올란이 그렇게 막강하지도, 또 호민관들과 민중들이 그렇게 무력하지도 않다. 브레히트는 셰익스피어의 극에서 코리올레이너스의 추방 결정을 후회하던 민중들의 발언을 삭제한다. 그리고 침공소식에 임하는 귀족들과 호민관들의 태도를 차별화하고 이를 대조한다. 귀족들이 피할 수 없는 재앙이 닥친 양 호들갑을 떤다면, 호민관들은 침착하게 코리올란에 맞설 준비를 한다. 이들은 코리올란의 자비에만 기대는 귀족들을 로마가 위기에 처했는데 자기 영지만 지키려한다고 꼬집으며 "로마에 기생하던 이들이 그(로마)를 지키려 하지 않는다면, 이제 로마를 지금까지 지탱해온 우리들이 지킬 것이다. 왜 석공들이 그들이 쌓은 성벽을 지켜서는 안 되는가?"(If the people who live off Rome won't defend it, then we, whom Rome has lived off up to now, will defend it. Why shouldn't masons defend their walls? 5.3.137)라고 민중들을 독려하고, 민중들은 그에 화답하듯 앞 다투어 군대에 자원한다.

브레히트는 또한 코리올란이 전쟁을 포기하는 이유도 바꾼다. 브레히트의 극에서도 코리올란을 설득하는 것은 어머니 볼럼니아이다. 하지만 셰익스피어의 볼럼니아가 명예와 가족, 특히 어머니에 대한 자식의 도리에 호소한다면, 브레히트는 볼럼니아의 협박에 가까운 강렬한 호소들을 대폭 삭제하고, 그 대신 다음 대사를 삽입한다.

볼럼니아   애 같은 감상은
그걸로 충분하다. 너에게 해줄 다른 이야기가 있다.
네가 진군할 로마는 네가 떠날 때와는 완전히 다른 곳이지.
너는 더 이상 꼭 필요한 존재가 아니며,
단지 모두에게 치명적 위협일 뿐이지.
복종을 약속하는 연기를 기대하지마라. 연기를 본다면
그것은 대장장이들이 무기를 벼리기 위해 피운 것일 뿐.
동포들을 꺾으려고 적에게 무릎 꿇은
너에게 맞서 싸울 무기 말이야.

그리고 우리 자랑스러운 로마 귀족들은
폭도들이 우리를 볼스키의 위협에서 구원해주길 기대거나
볼스키가 폭도의 손에서 우릴 구원해주기만 바래야하지.
(...)

코리올란   오, 어머니, 어머니! 무슨 일을 하신건가요? (5.4, 142)

여기서 볼럼니아는 어머니라기보다는 적장에 맞선 로마 귀족 여인의 모습인데, 그녀가 코리올란에게 환기시키는 것은 그가 간과하고 있는 두 가지 현실이다. 하나는 코리올란에 맞서기 위해 일치단결한 로마 민중들의 모습이며, 또 하나는 코리올란의 전쟁이 오히려 어머니를 비롯한 귀족들을 궁지로 몰아넣고 있다는 점이다. 따라서 여기서 코리올란을 굴복시키는 것은 어머니의 호소의 힘이 아니라 로마의 주인임을 자각한 민중들이며 그들이 지키는 새로운 로마의 모습이다.

셰익스피어의 극이 비극이 늘 그렇듯이 주인공 코리올레이너스의 비극적 죽음으로 마무리된다면, 브레히트는 그 뒤에 로마의 의회장면을 덧붙인다. 이 장면은 귀족들과 민중들의 대표인 호민관들이 의회에 모여 전후 로마의 질서를 새롭게 세워가는 모습을 보여준다. 집정관은 호민관들이 제안한 대로 로마가 정복했던 코리올리 땅을 원주민들에게 돌려주는 법을 제정하고, 또 새로운 수로를 건설하는 안을 발의한다. 바로 이 때 사신이 등장해 코리올란이 살해되었다는 소식을 전하고, 귀족 메네니우스는 로마의 영웅이었던 그의 이름을 의사당에 새길 것을 제안하며, 집정관은 코리올란의 가족들의 열 달 동안 상복을 입고 그의 죽음을 애도할 수 있게 해달라고 청해왔음을 전한다. 하지만 그들의 요청은 기각된다. 그리고 극은 귀족들과 호민관들이 한때 로마의 영웅이었던 자의 죽음을 애도하는 것보다 훨씬 더 시급한 문제들을 논의하는 모습을 마지막 장면으로 보여주며 막을 내린다. 브레히트는 『코리올란』을 코리올란의 죽음이 아닌 새로운 로마가 태동하는 장면으로 마무리하며, 『코리올레이너스』를 "적대적 영웅을 가졌던 민중의 비극"이자 그 비극을 딛고 일어선 로마 민중의 승리의 이야기로 다시 쓴다.

『코리올란』에 대한 불만

이제 다시 글을 시작하며 제기한 문제들로 돌아가 보자. 만약 개작 연구의 목표가 상호텍스트적 창작 작업의 "과정과 이데올로기, 방법론에 대한 분석"이라면 우리의 연구는 개작이 원작과 어떻게 다른지, 왜 그렇게 변형했는지를 설명하는 것에서 멈춰야 한다. 하이네만의 『코리올란』 분석은 브레히트의 개작 의도와 그것을 낳은 상황을 매우 공감어린 어조로 설명하는 분석의 좋은 예이다. 하이네만은 브레히트의 개작 의도를 이해하기 위한 배경으로 당대 독일의 두 가지 시대적 상황을 언급한다. 하나는 전쟁이 끝났지만 대부분의 독일인들은 여전히 히틀러와 나치즘, 그리고 그것이 조장한 영웅주의의 영향력 아래 있었다는 점이고, 또 하나는 전쟁 후 패전국의 주민인 독일인들은 가해자이면서 동시에 나치의 피해자로서 극심한 절망감과 패배감에

젖어있었다는 점이다. 그리고 하이네만은 브레히트가 자신의 시대에 대해 쓴 글을 직접 인용해 브레히트의 개작의 진정성과 시대적 의의를 다음과 같이 옹호한다.

> 브레히트의 거의 모든 작품은 그가 자주 언급했던, '분노하지 않는 말은 어리석고, 찌푸리지 않은 이마는 무감각의 표지이며, 나무에 대해 대화하는 것은 수많은 공포들에 대해 침묵하는 것이기 때문에 거의 범죄와 다를 바 없던,' '어두운 시대'의 산물이다. 셰익스피어에 대한 그의 작품은 시대적 절박감에서 나온 것인데, 그 역사 외부의 훨씬 더 안전한 처지에 있는 자가 볼 때는 그것이 조야해 보일 수 있다.[23]

브레히트의 셰익스피어 개작이 자신의 시대에 대한 절실한 고민의 산물임을 감동적으로 옹호하는 구절이지만, 하이네만의 옹호의 바탕에는 변명의 어조가 깔려있다. 그리고 "조야해 보일 수 있다"는 표현에서 느껴지는 변명의 어조는 브레히트의 개작 의도와 개작 작품의 시대적 의의를 설명하는 것만으로 충분하지 않고, 남는 것이 있다는 것을 보여준다. 이는 하이네만이 브레히트의 진정성을 옹호하면서도, 그의 극이 과연 성공적인 개작일까, 다시 말해 "역사 외부의 훨씬 더 안전한 처지에 있는" 우리 시대에도 여전히 감동적이며 유의미한 작품일까라는 질문에는 유보적 태도임을 보여준다. 이러한 복합적 감정은

---

23) Heinemann, 앞의 글 226-227.

아마도 『코리올란』을 접하는 관객과 연구자들이라면 거의 모두가 느끼는 것일 것이다. 그렇다면 『코리올란』 연구는 개작의 "과정과 이데올로기, 방법론에 대한 분석"에 이어서, 무엇이 이 극을 '변명'하게 하는지, 그 불만의 정체를 밝히고 설명해야한다.

평자들이 이 극을 평가하며 공통적으로 지적하는 것이 있다면, 그것은 이 극이 교훈적이라는 점이다. 연극을 통해 사회에 대해 발언하고 대중을 교육하고자 했던 브레히트였기에 그의 극이 교훈적 색채를 띠는 것은 당연하며, 그 자체가 문제가 될 수는 없다. 문제는 교훈을 주려는 의지가 과도할 경우다. 그 경우 작가는 목표하는 교훈을 주기위해 현실을 단순화하게 되고 그 결과 작품의 예술적 통일성도 훼손하게 된다. 우리가 브레히트의 『코리올란』에 불만을 느끼게 되는 이유는 바로 그의 교훈적 의도가 때로 과도하다고 느끼기 때문이다.

브레히트의 교훈적 태도가 가장 두드러지는 것은 호민관들의 형상화이다. 브레히트의 극에서 호민관들은 민중의 진정한 지도자로 그려진다. 그들은 민중을 대표해 민중의 이익을 위해 일할뿐 아니라 작가인 브레히트를 대신해 민중을 교육하고 민중이 역사의 주인으로 성장하도록 이끈다. 호민관들의 이상화는 우선 극의 긴장감을 떨어뜨린다는 점에서 극을 불만스럽게 만든다. 극의 본질은 갈등인데, 브레히트의 극에서 호민관들은 그 갈등의 밖에 서있다. 그리고 작가의 목소리를 대변하는 그들의 존재와 목소리는 관객들이 극의 상황에 거리를 두고 비판적으로 성찰하는 수고를 불필요하게 한다. 그것은 바로 브레히트가 "거리두기 효과"를 이야기하며 극의 가장 중요한 목표로 추구

했다는 점에서 특히 문제적이다.

호민관들의 이상화가 불만스러운 더 중요한 이유는 현실을 단순화하기 때문이다. 이것은 원전인 셰익스피어의 극과 비교할 때 분명해진다. 셰익스피어의 극에서 호민관들은 민중의 진정한 지도자와는 거리가 먼 인물들이다. 그들은 민중의 대변자임을 자처하고 또 그것이 그들의 정치적 존재이유이지만, 실상은 귀족들과 마찬가지로 자신의 목적을 위해서 민중을 이용하고 착취하는 정치적 집단으로 그려진다.

앞서 분석했던 집정관 선출의식은 그들의 이런 면모를 가장 잘 보여주는 장면이다. 셰익스피어는 호민관들의 계략이 코리올레이너스를 추방하는데 결정적 역할을 하는 것으로 그리며, 또 그 계략이 민중의 이익이 아닌 자신들의 정치적 입지를 지키려는 의도에서 나온 것임도 보여준다. 호민관들은 민중들이 전쟁에서 승리한 코리올레이너스를 로마의 영웅으로 추앙하면서 민중의 대변인이라는 자신들의 위치가 위협을 받는다고 느끼고 있으며,[24] 민중을 선동해서 정치적 적수를 제거하고 입지를 공고히 하려한다. 호민관들이 민중들의 뒤에서 코리올레이너스의 추방을 모의하는 다음 대사는 정치적 목적을 위해 민중을 과격한 방향으로 선동하고, 민의를 무시한 채 그들을 조작과 지

---

24) 셰익스피어는 2막 1장에서 로마 민중이 전쟁 영웅 코리올레이너스의 개선을 보기 위해 구름처럼 몰려드는 장면과 이를 걱정스럽게 지켜보는 호민관들의 모습을 실감나게 그리고 있는데, 이 장면은 호민관들이 코리올레이너스의 부상에서 느끼는 위기감, 그리고 그의 추방결정이 어떤 정치적 동기에서 비롯하는지를 잘 보여주는 장면이다. 그런데 브레히트는 이 장면을 대폭 축소한다.

배의 대상으로 삼는 정치꾼의 모습을 잘 보여준다.

시시니우스   즉시 사람들을 이곳으로 모이게 하시오.

그리고 내가 '민중의 권리와 힘에 의거해 그렇게 될 것이다'
라고

선언하면, 그것이 사형이든 벌금이든 추방이든 간에,

내가 벌금이라고 하면 '벌금',

'사형'이라고 하면 '사형'이라고 외치게 하시오.

(...)

브루투스   그리고 일단 그들이 외치기 시작하면

멈추지 말고, 큰 소란을 피우며

우리가 선고한대로

당장 집행하라고 요구하도록 하시오. (3.3.12-24)

패터슨의 지적처럼 '로마의 주인이 누구인가'의 문제와 함께 '누가 민중을 대변할 것인가'라는 문제는 셰익스피어의 중요한 관심 중 하나 이며,[25] 호민관들의 형상화는 셰익스피어가 이 질문을 탐색하는 중요 한 극적 장치이다. 그리고 이 질문은 셰익스피어의 『코리올레이너스』 를 21세기인 우리 시대에도 중요한 통찰과 의의를 지니는 작품으로 만 드는 것이기도 하다. 왜냐하면 겉으로는 민의를 대변하는 척 하면서 자신들의 정치적 목적을 위해 민의를 조작하고 왜곡하는 정치적 지도

---

25) Patterson, 앞의 책 139.

자들의 모습은 우리 시대의 아주 일반적 현상이며, 의회와 선거로 대표되는 '대의민주주의'가 민주주의적 정치의 대표적 형식으로 자리 잡은 현대 민주주의사회에서 '누가 민중을 대변할 것인가'의 문제는 바로 우리 시대의 민주주의가 마주하고 있는 핵심적 딜레마이자 질문이기 때문이다.[26]

그런데 브레히트의 개작에서 호민관의 이상화는 바로 셰익스피어의 이 질문과 통찰의 여지를 삭제한다. 물론 브레히트의 의도는 당대 독일 연극계의 『코리올레이너스』 해석이 보여주는 영웅주의의 위험성을 경계하고 민중이 역사의 주인임을 이야기하려는 것이다. 그런데 브레히트는 코리올란이 가짜 영웅임을 보여주기 위해 호민관이라는 진정한 영웅을 창조하며, 지도자와 민중의 관계에 대한 질문을 가짜 지도자 대 진정한 지도자의 대립이라는 문제로 단순화해버린다. 이 단순화는 갈등의 해결을 용이하게 만든다는 점에서 문제적이다. 민중의 이익을 진심으로 걱정하고 헌신할 지도자가 존재한다면, 문제는 구조적인 것이 아니라 '진짜 지도자'를 찾아내면 해결되는 것이기 때문이다.

---

26) 2012년 개봉된 랠프 화인즈(Ralph Fiennes) 감독의 영화 〈코리올레이너스〉는 바로 셰익스피어의 이 극이 어떻게 우리 시대의 민주주의에 대한 탐색과 고민의 장으로 활용되는가를 보여주는 예이다. 이 영화에서 호민관들은 민중들이 있는 광장이 아니라 안락한 의자에 둘러앉아 값비싼 시거를 피우며 정치를 논하는 모습으로 등장하는데, 특권계층으로 자리 잡은 우리 시대의 이른바 '민의의 대변자'들을 연상시키는 이들의 모습에는 의회와 선거로 대표되는 우리 시대의 대의 민주주의에 대한 감독의 짙은 회의와 의심이 표현되어 있다.

사실 이는 브레히트가 민중의 모습을 극화하며 보여주는 피억압자로서의 민중의 딜레마에 대한 그의 인식을 축소하고 단순화하는 것이기도 하다. 앞서 지적했듯이 그의 민중들은 단일하지 않고 처한 상황에 따라 바라는 것도 생각하는 것도 다양하며, 이 다양한 민중들의 목소리는 과연 단일하지 않은 민중의 뜻을 대변한다는 것이 무엇인가라는 질문을 던지게 한다. 그런데 브레히트는 민중들 자신도 모르는 민중들의 뜻을 유일하게 알고 있는 호민관을 창조한다. 그리고 그 결과 브레히트의 극은 호민관들의 입을 빌어 민중이 주인이라는 교훈을 효과적으로 전달하는 것에는 성공하지만, 과연 민중을 대변한다는 것이 무엇인지, 그리고 그들의 지도자를 자처하는 정치 집단들과 민중의 관계를 복합적으로 이해하고, 그것을 그려내는 것에는 실패한다. 그것이 브레히트의 극이 불만스러운 이유이며, 21세기의 우리에게도 감동을 주는가라는 질문에 대해 유보적 태도를 갖게 하는 이유이다.

　　하이네만은 브레히트의 개작에 대한 그의 감동적 옹호를 마무리하며 짐짓 관용적 태도로 브레히트의 결함을 어두운 시대의 산물로 손쉽게 가치 평가하는 비평가들의 태도를 너무 성급하다고 나무란다. 왜냐하면 브레히트가 대면했던 시대의 "공포들은, 비록 새로운 모습을 취하고 있을지 모르지만, 여전히 존재하는 것이기 때문이다."[27] 하지만 바로 브레히트가 마주한 "공포들"이 우리의 문제이기 때문에 브레히트의 개작이 거둔 성취를 제대로 평가할 필요가 더욱더 긴요한 것

---

27) Heinemann, 앞의 글 227.

이 아닐까. 물론 그 의도와 의미를 충실히 인정한 후라는 전제가 붙어야 하지만 말이다. 그리고 같은 이유로 모든 개작 작품에 대한 연구는 상호텍스트적인 "과정과 이데올로기, 방법론에 대한 분석"과 동시에 그 개작이 우리 시대에 주는 의미를 물어야 하며, 그를 통한 가치 평가가 당연히 수반되어야 하는 것이 아닐까 싶다.

제2장

하워드 제이콥슨의 『샤일록은 내 이름』
홀로코스트 이후의 샤일록

홀로코스트와 『베니스의 상인』

『베니스의 상인』(*The Merchant of Venice*)은 셰익스피어의 극 중에서 가장 문제적 작품이며 논란의 중심에는 영국 문학이 창조한 가장 영향력 있는 유대인인 샤일록(Shylock)이 자리한다. 물론 이 극을 샤일록의 이야기라고 부르는 것은 무리가 있다. 왜냐하면 샤일록은 이 극의 주인공이 아니기 때문이다. 베니스의 상인인 안토니오(Antonio)와 벨몬트(Belmont)의 여주인인 포셔(Portia)에 비해 샤일록은 등장하는 장면이나 대사가 적을 뿐더러 특히 4막에 무대에서 사라져 극의 대단원인 5막에서는 아예 등장하지 않는다.

하지만 샤일록은 이 극의 등장인물 중 가장 기억에 남는 인물이며, 샤일록의 형상화는 기독교 사회가 만들어낸 유대인에 대한 부정적인 상투적 관념에 기초하고 있다. 따라서 샤일록과 기독교인들 간의 인종적·종교적 갈등과 그의 복수를 어떻게 해석할 것인가는 지난 400여 년간 이 극을 둘러싼 논쟁의 핵심 쟁점이었다. 그리고 코헨(Walter Cohen)이 셰익스피어의 어떤 희극도 이 정도의 논란을 불러일으켰던 적은 없다고 이야기할 정도로,28) 사악한 유대인에 대한 선량한 기독교인의 명백한 승리라는 평가부터 시작해, 기독교인의 승리이긴 하지만 그 승리의 애매함을 지적하는 평가들, 더 나아가 기독교인과 유대인 모두에 대한 비판이라는 해석에 이르기까지 다양한 해석이 존재한다. 그 결과 어떤 이들에게 이 극이 반유대주의를 표현한 인종주의적 작품이었다면 또 다른 이들에게는 반유대주의가 어떻게 작동하는가를 보여주어 인종주의를 비판하는 작품이었다. 그에 더해 논란은 해석으로만 그치지 않고, 어떤 이들은 유대인에 대한 혐오를 정당화하기 위해서 혹은 반대로 다른 이들은 반유대주의를 비판하기 위해 이 극을 정치적으로 활용하고 적극적으로 재해석했다.

이 극을 한층 더 문제적으로 만든 것은 20세기 초반에 발생한 홀

---

28) Walter Cohen, "*The Merchant of Venice* and the Possibilities of Historical Criticism," *ELH* 49.4 (Winter 1982): 767.

로코스트(Holocaust)이다. 홀로코스트가 반유대주의가 얼마나 끔찍한 결과를 낳을 수 있는가를 보여주는 역사적 사건이라면,『베니스의 상인』을 반유대적 작품으로 보건 아니면 반유대주의를 비판하는 작품으로 보건 간에 셰익스피어가 그린 베니스의 반유대주의를 홀로코스트의 경험과 연속선상에 있는 것으로 볼 수밖에 없기 때문이다. 특히 나치가 반유대주의를 공식 정책으로 채택하며 히틀러(Adolf Hitler)가 '사랑'했던 셰익스피어의 작품을 선전도구로 적극 활용했고 사악한 샤일록이 등장하는『베니스의 상인』은 나치 치하의 독일에서 크게 인기를 누렸다. 히틀러가 총통의 자리에 오른 1933년에만 무려 20여 차례 공연되었으며 1934년과 1939년 사이에는 30여개 극단이 이 극을 무대에 올렸다고 한다.29)

나치시대의『베니스 상인』공연과 해석은 문학작품이 어떻게 정치적 목적과 선전을 위해 악용될 수 있는지를 보여주는 극단적 사례이며, 홀로코스트 이후『베니스의 상인』과 샤일록은 매우 다루기 어려

---

29) 나치 체제에서『베니스의 상인』의 모든 공연은 반유대주의에 초점이 모아졌고 관객이 혹시라도 그 의미를 알아듣지 못할까봐 언론은 원작에 친절한 설명을 덧붙이기도 했다. 나치 당원이었던 로타르 뮤텔(Lothar Müthel)이 1943년 비엔나(Vienna)의 부르크극장(Burgtheater)에서 공연한 연극이 가장 악명이 높은데, 이 극에서 샤일록은 불안정하고 작은 눈, 붉은 빛이 감도는 창백한 얼굴, 질질 끄는 걸음걸이, 할퀼 것 같은 손 모양을 한 동유럽 유대인의 병적인 모습으로 재현되었다. 그 모습이 얼마나 끔찍한지 관객들은 그를 보기만 해도 몸을 떨 정도였다고 한다. John Gross, *Shylock: A Legend and its Legacy* (New York: Simon, 1992) 319-323 참조.

운 예민한 문제가 되었다. 1970년대 중반 유대계 영국인 극작가인 웨스커(Arnold Wesker)는 『베니스 상인』을 『상인』(*The Merchant*)으로 다시 쓰며, 그 서문에서 "『베니스의 상인』에 대해서 이성적으로 생각하는 것이 불가능"하며 홀로코스트가 "모든 이성적 시도의 걸림돌"이 되었다고 토로한다.

> 나는 셰익스피어를 존경하며, 그의 영향아래서 글을 쓴다는 것에 자부심이 느낀다. 그가 없는 세상은 생각할 수 없으며, 어느 곳에서든 누구라도 그 극을 공연하고 가르친다면 그 권리를 열정적으로 옹호할 것이다. 하지만 나는 그것(『베니스의 상인』)을 찬양할 수는 없으며 누구도 나의 반응에 홀로코스트가 부적절하다고 설득할 수는 없다. 내가 아무리 시인의 시구에 귀를 기울려도 애를 써도 그가 그린 유대인의 모습을 보면 분노가 끓어오르며 그가 셰익스피어가 탐욕 혹은 그 비슷한 것을 탐색하는 단순히 한명의 등장인물일 뿐인 척 할 수는 없다.30)

셰익스피어를 존경하지만 "아무리 시인의 시구에 귀를 기울이려도 애를 써도" 도저히 샤일록을 단순히 한명의 등장인물로만 보는 것이 불가능해졌다는 웨스커의 고통스런 고백은 홀로코스트 이후 샤일록과 홀로코스트의 경험을 분리해서 생각하는 것이 어려워졌음을 보여주며, 버넷(Mark Thornton Burnett)의 지적처럼 홀로코스트의 경험은 이후 극의 모든 "상상적 구현"에 영향을 미치고 있다.31) 호로위츠

---

30) Arnold Wesker, *Preface to* The Merchant (London: Methuen, 1983) 177.

(Arthur Horowitz)는 우리 시대의 『베니스의 상인』 공연사를 돌아보며 "죄의식, 논쟁, 재해석이 넘쳐나며" 각자의 기준에 따른 "각색자와 감독의 수많은 인종적, 종교적, 정치적 교정과 각색, 전복의 장"이 되었다고 이야기한다.[32]

    모름지기 모든 셰익스피어 극의 재구성은 ― 그것이 비평이건 아니면 공연이나 다시쓰기 건 간에 ― "좀 더 가까운 유산을 통해 셰익스피어의 과거를 재구성"[33]하고 이를 통해 현재를 이해하고 더 나아가 미래를 바라보는 일이기 마련이다. 그런데 이 중 『베니스의 상인』의 재구성 혹은 해석 작업이 특히 관심을 끈다면 그 이유는 홀로코스트와 샤일록이라는 존재가 우리 시대에 제기하는 질문의 무게 때문일 것이다. 홀로코스트는 우리에게 어떻게 하면 정치적 파국을 초래하는 인종적·종교적 혐오나 적대를 벗어나 상호 공존의 길을 찾을 수 있을 것인가라는 질문을 남겼으며, 샤일록은 이 탐색에서 매우 중요한 의미를 지니는 존재다. 왜냐하면 그것은 우선 그가 인류 역사상 가장 끔찍한 폭력과 혐오의 희생자인 유대인의 처지를 대변하는 존재이기 때문이며 다른 한편으로 그것은 샤일록이 택한 '복수'와 다른 길을 모색하라

---

31) Mark Thornton Burnett, *Filming Shakespeare in the Global Marketplace* (Houndsmills: MacMillan, 2007) 105.

32) Arthur Horowitz, "Shylock after Auschwitz: *The Merchant of Venice* on the Post-Holocaust Stage ― Subversion, Confrontation, and Provocation," *JCRT* 8.3 (Fall 2007): 8.

33) Burnett, 같은 글 105.

는 명령이기 때문이다. 따라서 홀로코스트 이후 『베니스 상인』의 "상상적 구현"은―오랫동안 유대문제에 대해 고민해 온 철학자 버틀러(Judith Butler)의 표현을 빌자면―"스스로 박탈당했던 역사에 근거하여 다른 이들이 당한 박탈을 이해하면서 그것에 반대하고 저항하는 길은 없을까"[34]를 묻는 일이어야 하며, 그런 의미에서 홀로코스트의 정치적·도덕적 유산을 어디서 찾을 것인가의 논쟁에 대한 개입이며 발언이다.

제이콥슨과 로즈의 논쟁: 홀로코스트의 정치적 유산

2016년 2월 출간된 제이콥슨(Howard Jacobson, 1942~)의 『샤일록은 내 이름』(*Shylock Is My Name*)[35]은 홀로코스트의 경험이 『베니스의 상인』의 21세기적 "상상적 구현"에 어떻게 영향을 미치고 있는가를 보여주는 흥미로운 사례다. 이 소설은 호가스 출판사(Hogarth Press)가 셰익스피어 사망 400주년을 기념해 마련한 셰익스피어 다시쓰기 프로젝트의 일환으로 탄생한 작품 중 하나다.[36]

---

34) Judith Butler, *Parting Ways: Jewishness and the Critique of Zionism* (New York: Columbia UP, 2014) 29.

35) Howard Jacobson, *Shylock Is My Name* (London: Hogarth, 2016)

36) 호가스 출판사가 2012년 셰익스피어 사망 400주년을 기념해 착수한 일명 "호가스 셰익스피어 프로젝트"에는 그들이 공언했던 대로 제이콥슨 외에도 재닛 윈터슨(Jeanette Winterson), 앤 타일러(Anne Tyler), 마가렛 애트우드(Margaret Atwood),

대시인 셰익스피어의 작품을 다시 쓰는 이 야심찬 프로젝트에서 2010년 맨 부커상(Man Booker Prize) 수상자인 제이콥슨이 『베니스의 상인』을 맡았다는 소식이 전해졌을 때 여러 평자들은 적어도 그가 이 작업의 적임자라는 점에 대해서는 이견을 제기하지 않았는데[37] 그 이유는 하워드가 유대계 영국인으로서 21세기 유대인의 정체성 문제에 대해서 지속적으로 관심을 갖고 작품 활동을 해왔기 때문이다. 그는 유대성에 대한 관심, 장황하고 유머러스한 문체, 특히 소설에 작가의 분신에 해당하는 인물을 즐겨 등장시킨다는 점에서 영국의 필립 로스 (Philip Roth, 1933~2018)로 불리기도 한다. 제이콥슨은 소설가일 뿐 아니라 열정적 논객이기도 하며 대중매체를 통해 유럽 내 유대인 문제를 둘러싼 논쟁에서 적극적으로 자신의 정치적 견해를 밝혀왔다. 특히 그

트레이시 슈바리에(Tracy Chevalier), 길리안 플린(Gillian Flynn), 요 네스뵈(Jo Nesbo), 에드워드 세인트 오번(Edward St Aubyn) 같은 우리 시대의 가장 칭송받는 베스트셀러 소설가들이 참여하고 있다. 2015년 10월 재닛 윈터슨(Jeanette Winterson)이 다시 쓴 『겨울이야기』(*The Winter's Tale*)인 『시간의 틈』(*The Gap of Time*)이 20여 개국에서 동시 출판 된 후, 2016년 제이콥슨의 『샤일록은 내 이름』, 타일러의 『말괄량이 길들이기』(*The Taming of the Shrew*)인 『식초아가씨』 (*Vinegar Girl: A Novel*), 애트우드가 『태풍』(*The Tempest*)을 다시 쓴 『마녀의 자식』(*Hag- Seed*)이 연달아 출판되었고, 2018년 『오텔로』가 슈바리에의 『새로 온 아이』(*New Boy*)로, 『리어왕』(*King Lear*)이 오번의 『던바』(*Dunbar*), 2019년에는 네스뵈의 『맥베스』(*Macbeth*)가 출간되었다. 그리고 플린의 『햄릿』(*Hamlet*)은 2021년에 출판될 예정이다.

37) Rebecca Abrams, "*Shylock Is My Name* by Howard Jacobson," *Financial Times* 29 Jan. 2016. 19 Sep. 2016

⟨https://www.ft.com/content/db619aec-c4f3-11e5-808f-8231cd71622e⟩

가 2009년 초 또 다른 유대계 영국인 철학자인 재클린 로즈(Jacqueline Rose 1949~)와 『인디펜던트』(*The Independent*)와 『가디언』(*The Guardian*)에서 팔레스타인과 이스라엘의 분쟁을 둘러싸고 벌인 논쟁은 세간의 큰 주목을 끌었고, 과연 이스라엘에 대한 비판이 반유대주의의 표현인가의 문제를 둘러싸고 격론을 불러일으켰다.

논쟁은 제이콥슨이 영국 극작가 카릴 처칠(Caryl Churchill 1938~)이 2008년 12월 이스라엘이 감행한 가자지구 대폭격을 비판하기 위해 쓴 『일곱 명의 유대인 아이들: 가자를 위한 극』(*Seven Jewish Children: A Play for Gaza*, 2009)을 반유대적 작품으로 비난하는 글을 기고하며 시작되었다. 처칠의 극을 비판하는 형식을 취하고 있지만 이 글에서 제이콥슨이 겨냥하는 것은 이스라엘과 팔레스타인의 분쟁에서 이스라엘을 비판하는 사람들이다. 제이콥슨은 특히 이들이 팔레스타인인들의 곤경을 강조하기 위해 홀로코스트의 용어와 이미저리를 전용하는 것을 격렬하게 비판한다. 팔레스타인인들의 상황과 1940년대 나치 치하에서 유대인들이 처했던 상황을 유비하는 것은 이스라엘을 비판하는 이들이 즐겨 사용해온 수사인데, 크랩스(Stef Craps)는 2008년 일명 캐스트 리드 작전(Operation Cast Lead)으로 팔레스타인 민간인이 대량 학살된 후 이 관행이 극에 달했다고 지적한다.[38)]

---

38) Stef Craps, "Holocaust Memory and the Critique of Violence in Caryl Churchill's *Seven Jewish Children: A Play for Gaza*," *The Future of Testimony: Interdisciplinary Perspectives on Witnessing*, eds. Jane Kilby, et al. (London: Routledge, 2014) 182

12월 27일 이스라엘의 공격이 시작되자마자 주류언론과 인터넷상에서 이스라엘을 비판하는 이들은 가자지구의 팔레스타인인들의 상황과 바르샤바 게토에서 유대인이 처했던 비극을 비교하는 글을 올렸다. 그리고 유럽뿐 아니라 전 세계에서 이스라엘의 공격에 항의하는 시위가 벌어졌는데 시위자들은 "가자지구의 홀로코스트를 중단하라"(Stop the Holocaust in Gaza), "홀로코스트 생존자들이 자행한 홀로코스트" (Holocaust by Holocaust Survivors), "가자 = 바르샤바의 게토"(Gaza=Warsaw Ghetto)라는 구호가 적힌 피켓을 들고 이스라엘을 나치에 그리고 가자를 게토에 비유했다.[39]

제이콥슨은 이 수사에 대해 유대인이 겪은 역사로 유대인을 공격하고 이를 통해 유대인에게 진 죄의식의 부채를 해소하려한다는 점에서 새로운 형태의 홀로코스트 부인(Holocaust denial)이라고 분개한다. 그리고 이스라엘 비판은 결국 이스라엘을 "국가들의 공동체로부터 삭제하려는 것일 뿐 아니라 그 실존을 없애려는 욕망"의 표현이라는 점에서 단순히 이스라엘 비판이 아니라 반유대주의를 바탕으로 하고 있다고 비판한다. 로즈는 제이콥슨의 주장에 맞서 홀로코스트와 가자의 비극이 결코 동일시될 수 없음을 인정하면서도, 홀로코스트가 유대인들의 심리에 심대한 영향을 미쳤으며 그 때문에 "이스라엘이 자신을 희생자로, 심지어 오늘날 이스라엘 국가가 힘을 지니고 폭력을 자행하고 있음에도 불구하고 영원히 피해를 입기 쉬운 약자로 간주"하고 있

---

39) Craps, 같은 글 182 참조.

다고 지적한다. 그리고 처칠의 극이 가자의 비극과 홀로코스트를 유비하는 것은 "트라우마가 어떻게 무자비한 자기방어로 전환될 수 있는가"를 보여주는 것이며, 이스라엘 비판이 결코 반유대주의와 동일시될 수는 없다고 주장한다.[40]

　이 논쟁이 중요한 이유는 홀로코스트의 정치적 윤리적 유산을 어디서 찾을 것인가라는 문제에 대해 상반된 두 입장을 보여주기 때문이다. 논쟁에서 제이콥슨은 일명 제 2의 홀로코스트 담론(second Holocaust)과 유사한 현실 인식을 보여준다. 이 담론은 현재 유대인들이 이스라엘을 둘러싼 팔레스타인인들과 그들을 돕는 아랍 국가들로부터 종족말살의 위험에 처해있다는 주장이다. 이 담론의 지지자들이 보기에 이스라엘은 유대인들이 다시는 홀로코스트와 같은 비극을 겪지 않기 위해 꼭 필요한 마지막 보루와 같은 곳—소설에서 제이콥슨의 분신인 스투룰로비치(Simon Strulovitch)의 표현을 빌자면 "그들이 다시 가스오븐을 틀기 시작할 때 이스라엘은 우리를 구해줄 유일한 장소"(139)—이며, 그것은 홀로코스트가 남긴 가장 중요한 유산이다. 제 2의 홀로코스트 담론은 이스라엘 정부와 그 지지자들이 팔레스타인 지역에 대한 이스라엘의 계속된 침공과 지배를 정당화하는 논리였으며, 홀로코스트의 경험이 현재 정치적으로 기억되고 활용되는 중요한 한 흐름을

---

40) Jacqueline Rose. "Why Howard Jacobson Is Wrong," *The Guardian* 24 Feb. 2009. 27 Sep. 2016

〈https://www.theguardian.com/commentisfree/2009/feb/23/howard-jacobson-antisemitism-caryl-churchill〉

형성한다.

　제이콥슨이 로즈와의 논쟁과정에서 보여준 21세기 유대인 문제에 대한 그의 인식은 소설『샤일록은 내 이름』을 통해서도 표현된다. 그의 현실 인식은 홀로코스트의 경험과 해석에 대한 특정한 입장을 담고 있으며, 이는 제이콥슨이 셰익스피어를 변형하고 재구성하는 작업의 밑바탕을 형성하고 있다. 따라서 이 소설은 셰익스피어의 다시쓰기이자 21세기 유대인의 정체성에 대한 탐구인 동시에 홀로코스트의 유산을 둘러싼 최근의 논쟁에 대한 정치적 개입이자 발언이기도 하다. 그렇다면 홀로코스트의 경험이 이 소설에 어떻게 영향을 미치고 있는가. 이 질문에 답을 하기 위해 우선 제이콥슨이 어떻게 셰익스피어를 다시 쓰고 있는지, 개작에 담긴 홀로코스트의 경험과 해석은 무엇인지를 살펴볼 것이다. 그리고 앞서 이야기한대로 홀로코스트 이후『베니스 상인』의 상상적 구현이 "스스로 박탈당했던 역사에 근거하여 다른 이들이 당한 박탈을 이해하면서 그것에 반대하고 저항하는 길은 없을까"를 묻는 일이어야 한다고 믿는다면 과연 이 소설은 이 탐색 과정에서 어떤 위치를 점하는지, 소설이 이 탐색에 대해서 던지는 질문이 있다면 그것이 무엇인지에 대해서도 생각해보고자 한다.

제이콥슨의『샤일록은 내 이름』

　소설은 "살아있는 것보다 죽어 있는 것이 더 좋을법한"(one of those

better-to-be-dead-than-alive days;1) 21세기의 2월 어느 날 잉글랜드 북부 체셔(Cheshire) 주의 유대인 공동묘지에서 주인공 스투룰로비치가 어머니 묘소에 새로 세운 비석을 점검하러 왔다가 샤일록을 만나는 것으로 시작한다. 샤일록은 지난 400년간 매일 아침마다 그곳이 어디건 부인 리아(Leah)의 무덤을 찾아와 그녀에게 말을 걸고 그녀의 말을 들어온 헌신적인 남편의 모습으로 등장한다. 제이콥슨은 2016년 2월 5일자 『가디언』에 기고한 글에서 자신의 소설이 원작에서 샤일록이 동료 유대인인 튜발(Tubal)에게 제시카(Jessica)가 집을 나가며 가져가서 원숭이와 교환한 터키석 반지가 부인 리아에게 받은 것임을 밝히는 대사에서 출발했다고 밝힌다.

> **샤일록**   내게 잔인한 고통을 주는 구만, 튜발. 그 터키석 반지는 내 것이라네. 결혼하기 전에 리아가 내게 준 것이지. 원숭이를 아무리 많이 준다 해도 나라면 그것과 바꾸지 않았을 텐데. (3.1.95-97)[41]

제이콥슨은 이 구절에 주목한 이유를 샤일록의 역사, 즉 "예전의 그는 어떠했는지, 그리고 아마도 왜 현재와 같은 모습이 되었는가에 대해서" 접근할 수 있는 드문 기회를 제공해준다는 점에서 찾는다. 이 구절에서 제이콥슨이 발견한 샤일록은 유대인에게 적대적인 사회에서

---

41) William Shakespeare, *The Merchant of Venice* (Cambridge: Cambridge UP, 1989)

도와줄 아내 없이 홀로 아이를 키워야 하는, 그래서 딸에게 집을 지옥과 같은 곳으로 만들 수밖에 없었던 억압적인 유대인 가장이며, 또 딸뿐만 아니라 아내의 사랑의 증표마저 기독교인들에게 강탈당한 피해자다.

　제이콥슨은 자신의 소설이 냉소적 평자들의 기대처럼 샤일록을 긍정적 인물로 "정화하려는 시도"(clean-up job)가 아니라고 주장하며 홀로코스트 이후에 진행된 "원전의 샤일록을 개선하는 작업들"과 거리를 둔다. 하지만 "정화"까지는 아니지만 그의 의도가 샤일록에게 개인적 역사를 부여해서 남편과 아버지로서의 인간적 면모를 강조하고 그의 행동을 이해할 수 있는 토대를 마련해주려는 것인 점은 분명하다. 이 의도는 소설의 주인공이자 21세기의 샤일록인 스투룰로비치란 인물의 창조에서도 확인할 수 있다. 스투룰로비치는 "부자이고, 화를 잘 내며, 쉽게 상처 받으면서 때때로 열광적인 흥분을 느끼는가 하면 그런 흥분이 곧 사라져버리는"(1) '전형적 유대인'이며 박애주의자이자 영국계 유대인 예술품의 수집가이다. 그리고 샤일록처럼 "남편으로서의 슬픔과 아버지로서의 분노를 배우는 학생"(4)이기도 하다. 샤일록이 아내를 떠나보냈다면 그의 아내는 뇌졸중으로 말을 잃고 죽은 것과 다를 바 없는 상태이며, 성적으로 조숙한 그의 딸 비어트리스(Beatrice)는 ─샤일록의 제시카(Jessica)처럼─아버지에 반항하며 "탈선 중이다"(2).

　에이브럼스(Rebecca Abrams)의 지적처럼 스투룰로비치가 21세기로 소환한 샤일록은 그의 "또 다른 자아"이자 "양심"이라고 할 수 있으며,[42] 샤일록과 스투룰로비치의 이야기는 대부분 둘 간의 대화와 사유로 구성된다. 이들의 대화는 작품에서 가장 진지하고 뛰어난 대목이다. 대화를 관통하는 질문은 '유대인을 유대인으로 만드는 것이 무엇인가'이며, 소설은 이를 통해 한편으로 원작의 샤일록 이야기의 빈곳을 메우면서 다른 한편으로 21세기 영국에서 샤일록의 후손들이 남편, 아버지, 유대인으로서 살아간다는 것이 어떤 것인지를 성찰한다.

제이콥슨이 그린 21세기 영국은 셰익스피어의 베니스처럼 노골적이지는 않지만, 그렇기 때문에 오히려 더욱 사악할 수 있는 반유대주의가 지배하는 곳이다. 제이콥슨이 창조한 안토니오인 당통(D'Anton)은 21세기 반유대주의의 위선과 사악함을 가장 잘 보여주는 인물이다. "아름다운 것을 좋아하고 그 물건을 구입할 능력을 가진"(110) 예술품 수집상인 당통은 자신이 결코 반유대주의자가 아니라고 주장한다. 왜냐하면 프랑스령 기니(Guinea)에서 출생한데다 폭넓은 여행 경험을 지녔고 여러 개의 언어를 구사하며 일본과 중국 예술을 사랑하는 자신 같은 사람이 결코 인종적 견지에서 누구를 미워할 수는 없는 일이기 때문이다(117). 하지만 유대인들은 여전히 "부유하고, 참견 잘하고, 호전적이고, 성마르며, 이기적이고, 자기 연민과 자기 파괴를 자행하는" "피해망상증 패배자"들이다(118). 물론 당통은—반유대주의자가 아니기 때문에—그것은 선천적으로 타고난 것이 아니라 단지 유대인들이 그것을 자신의 특성으로 만들었기 때문일 뿐이라고 굳게 믿는다. 따라서 당통은 유대인 스투룰로비치가 자신의 부모님을 위해서 그들의 이름

---

42) Abrams, 앞의 글.

을 딴 '모리스와 리아 스투룰로비치 영국계 유대인 아트 갤러리'를 세우고자 할 때, 그 계획이─결코 그것이 유대인 아트 갤러리이기 때문이 아니다!─처음에는 환경문제를 야기할 수 있다는 이유로, 그 다음에는 설사 환경에 영향을 미치지 않더라도 주민들의 관심과 흥미를 끌지 못할 것이라는 이유로 강력하게 반대하며 결국은 무산시킨다.

유대인의 이중적 족쇄

21세기 유대인의 정체성에 대한 이 소설의 탐구에서 가장 흥미로운 대목은 홀로코스트 이후 유대인이 지게 된 이중적 족쇄에 대한 통찰이다. "'우리.' 그것은 그가 때로는 소속됨을 승복하고 때로는 승복하지 않는 개념"(2)이었음을 토로하는 스투룰로비치는 유대인이라는 정체성에 대해 갈등하는 인물이다. 첫 번째 아내인 오필리아 제인 (Ophelia-Jane)과의 결혼생활은 그가 마주한 어려움이 무엇인지를 보여주는 하나의 사건이다. 기독교인인 그녀와의 결혼 때문에 그는 "전혀 종교적인 사람이 아니"라고 믿었던 아버지에게 "우리를 배신한" 죽은 존재가 된다. 아버지는 결혼을 반대하며 스투룰로비치에게 "니 녀석이 차라리 내 발밑에서 죽어버렸으면 좋겠다"(2)며 저주한다.

그런데 그녀와의 결혼생활은 시작부터 어긋나며 자신의 유대인성을 돌아보는 계기가 된다. 베니스로 떠난 신혼여행에서 제인은 거리에서 샤일록을 보았다며 밤마다 샤일록의 환생을 만나기 위해 샤일록의 거리인 리알토(Rialto)를 찾는다. "유대인을 좋아하는" 기독교도인 그녀는 "히브리인들의 비극적 체험, 고귀한 라디노어 종족(Ladino race)의 고난"에 좀 더 가까이 다가가기 위해 스투룰로비치와 결혼했으며, 그를 그녀가 생각하는 유대의 전통과 재결합시키고 싶어 한다(10). 그래서 제인은 샤일록의 도시인 베니스를 신혼여행지로 택했으며 스투룰로비치를 위해 샤일록을 만나는 것과 같이 뭔가 유대인답게 멋진 경험을 함께 하고 싶어한다(9).

제인이 베니스에서 찾는 샤일록은 바로 수천 년 동안 핍박과 차별을 받아온 비극적 역사의 희생자로서의 유대인이다. 제이콥슨은 제인이 가짜 던힐 시계가 가득 담긴 가짜 루이 뷔통 백을 들고 샤일록을 찾아 베니스 거리를 누비는 모습을 통해, 한편으로 유대인의 비극적 역사가 던힐 시계와 루이 뷔통 백처럼 수집의 대상이자 구경거리가 되어버린 현실을 보여준다. 그리고 희생자로서의 유대인은 탐욕과 복수의 화신과 마찬가지로 홀로코스트 이후 유대인에게 덧씌워진 또 하나의 고정된 상이자 덫임을 이야기한다. 스투룰로비치와 제인의 결혼은 결국 파경을 맞게 되며, 소설은 "유대인을 좋아하는" 제인이 이혼하던 날 스투룰로비치에게 전화해서 "원하던 살 한 파운드를 얻게 되니 좋은가요"를 물으며 앙갚음을 하는 모습을 통해 유대인 혐오와 유대인 사랑이 동전의 양면임을 보여준다. 왜냐하면 체예트(Bryan Cheyette)의 지적처럼 유대인을 희생자로 영웅화하는 유대인 사랑과 유대인 혐오는 모두 "유대인을 다르다고, 즉 타자로 간주한다"는 점에서 다르지 않기 때문이다.[43] 제이콥슨이 그린 21세기 영국은 이렇듯 "샤일록 사냥"(the Shylock hunt; 9)이 끝나지 않은 곳, 아니 이중의 덫 때문에 그것을 벗어나기가 한층 더 어려워진 곳이다.

무대를 21세기의 영국으로 옮겨왔지만 제이콥슨은 스투룰로비치의 이야기를 통해서 원작의 내러티브를 비교적 충실히 따른다. 스투룰로비치에게도 샤일록처럼 선택의 순간은 딸의 반항과 상실의 문제로 찾아온다. 어느 날 열여섯밖에 안된 딸 비어트리스가 바람둥이로 소문이 자자하며 적어도 한차례 결혼한 적이 있는 저속한 축구선수 그레이턴(Gratan)을 남자친구라며 집에 데려온다. 그레이턴은 비어트리스가 그동안 만나온 변변치 못한 남자들 중에서도 가장 형편없을 뿐더러 골을 넣고서 나치식 인사를 하는 바람에 일곱 게임 출장 정지를 당한 적이 있는 인물로, 당연히 "아내 없이 홀로 아이를 키우며" 전전긍긍해온 스투룰로비치의 마음에 들 리가 없다. 따라서 스투룰로비치는 조금은 심술궂게 비어트리스에게 적합한 남자가 되기 위해 그레이턴이 할례를 받을 것을 요구하며, 비어트리스는 이에 반발해 제시카처럼 아버지를 버리고 그레이턴을 따라 집을 나간다. 그리고 제이콥슨이 창조한 안토니오인 당통—그는 바로 "유대인 여자를 좋아하는" 그레이턴에게 열다섯 살밖에 안된 미성년자 비어트리스를 소개한 사람이기도 하다—이 만약 그레이턴이 돌아오지 않는다면 대신 할례를 받겠다고 약속하면서, 소설의 갈등은 원작처럼 샤일록(스투룰로비치)과 안토니오(당

---

43) Bryan Cheyette, "English Anti-Semitism: A Counter Narrative," *Textual Practice* 25.1 (2011): 22-3.

통) 간의 살 한 점을 건 계약의 문제가 된다.

　그런데 스투룰로비치가 처음부터 복수를 원했던 것은 아니다. 그가 할례를 요구한 것은 "선량한 의도를 증명하라는 의도," 다시 말해 유대인의 딸과 사귀려는 태도가 얼마나 진지한 것인지 확인하려는 아버지의 마음의 표현이었다. 스투룰로비치가 보기에 "유대인 여자는 하나의 상품이고, 이 시대는 소유 지향적이며, 이 사람들은 수집가였다"(32). 따라서 스투룰로비치의 요구는 반유대적 사회에서 "수집가들"로부터 딸을 지키려는 방어기제의 작동이었을지는 몰라도 어떤 악의나 분노의 표출은 아니었다. 하지만 스투룰로비치가 딸이 집을 나간 바로 그날 저녁, 딸과 같이 있어야 할 그레이턴이 다름 아닌 유대인 갤러리 건립 계획을 무산시킨 위선적 반유대주의자 당통과 레스토랑에서 "교활한 낯빛을 하고서 함께 소곤거리고" 있는 모습을 목격하면서 할례는 "비유에서 실제가 된다"(175). 딸의 가출은 샤일록이 제시카를 빼앗기고 리아의 반지까지 도난당한 것처럼, 그가 유대인으로서 받아온 차별과 부당한 대우를 응집해서 보여주는 사건이 되며, 스투룰로비치의 분노는 이제 그레이턴이 아니라 당통과 그가 대변하는 반유대적 사회로 향한다.

　당통. 유대인을 증오하는 자. 그의 딸을 훔쳐 갔고, 부모에 대한 그의 사랑 표현에 훼방을 놓았고, 내포된 의미, 연상 작용, 소급되는 악의, 그저 존재하고 있다는 그 사실로 인해, 결딴 난 그의 아내의 건강 상태에 책임이 있는 자. (228)

그리고 스투룰로비치는 "내가 그자를 죽일 수 있다면 죽여 버릴 거야"(228)라고 외치며 할례는 "평생 소망해온 보복적 분노"의 표현이자 복수가 된다.

소설은 이렇듯 스투룰로비치가 샤일록과 동일한 상황에서 동일한 선택을 하는 모습을 그리며 원작과 스투룰로비치의 이야기를 교차해서 들려준다. 스투룰로비치는 샤일록에게 왜 그런 선택을 했는지, 처음부터 안토니오의 살 한 파운드를 떼어 낼 의도였는지를 집요하게 묻고 있으며, 샤일록은 스투룰로비치에게 할례를 통해, 그것도 딸을 훔쳐간 남자의 것이 아닌 살 한 점을 떼어내서 무엇을 얻고자 하는지를 반문한다. 그리고 소설은 이들의 대화와 그에서 촉발된 사유를 통해 샤일록의 행동 중 가장 정당화하기 어렵고 또 이해하기도 어려운 대목을 샤일록 본인의 입으로 설명할 기회를 줄 뿐 아니라, 동시에 샤일록에게는 이미 종결된 이야기지만 혹시 스투룰로비치에게는 다른 선택의 가능성이 없는가를 묻고 있다.

스투룰로비치는 샤일록의 만류에도 불구하고 샤일록처럼 계약대로 할 것을 고집하지만, 소설은 두 가지 방법으로 스투룰로비치가 샤일록이 되는 것을 막는다. 하나는 포샤의 유명한 자비에 관한 대사를 샤일록에게 주는 것이다. 원작에서 샤일록이 4막에서 개종을 강요당한 후 무대에서 퇴장해 사라졌다면, 소설은 마지막 장에 "5막"이라는 제목을 붙인 후 지난 400년간 "멋진 마무리 발언을 갈망해온"(68) 샤일록에게 마지막으로 발언 기회를 부여하며 그와 가장 어울리지 않는다고 여겨진 자비를 이야기하게 한다. 그리고 또 하나는 당통이 어이없

게도 어린 시절에 이미 할례를 받은 것으로 만든다. 소설은 이를 통해 당통이 스투룰로비치가 원하는 대로 살 한 점을 떼어내고 할례를 받았지만 이것이 스투룰로비치의 책임이 아닌 것으로 만들어 복수를 무화시킨다.

그렇다면 소설은 스투룰로비치의 이야기를 통해 샤일록과 다른 길을 찾은 것인가. 이 질문에 대한 답은 부정적인데, 그 이유는 제이콥슨이 샤일록의 이야기에 가한 두 가지 변형은 기발하지만 유대인과 기독교인간의 새로운 관계에 대한 진지한 모색이 담긴 것이라고 보기는 힘들기 때문이다. 오히려 이 변형은 기독교인들을 조롱하고 기독교인들이 부여한 유대인 상을 비판하는 것만이 목적인 듯 보인다. 소설은 샤일록의 입을 빌어 자비를 이야기하지만 원작에서 포셔의 대사가 담고 있던 만큼도 진정성이 느껴지지 않으며 당연히 어떤 변화도 일으키지 못한다. 샤일록의 설득에도 불구하고 스투룰로비치는 요지부동으로 계약 이행을 고집하지만, 샤일록 역시 "마치 다른 것을 바라지 않았던 것처럼"(264) 순순히 물러선다. 샤일록을 말을 듣고 감동받은 것은 우스꽝스럽게도 21세기의 포셔인 플루러벨(Plurabelle)이다. 플루러벨이 샤일록의 연설을 듣고 "당신은 내가 알던 그 사람(유대인)이 아니라며"(267) 마치 연예인에게 환호하듯이 샤일록에게 추파를 던지는 모습은 우스꽝스럽다 못해 기괴하며, 소설은 이를 통해 기독교인들이 유대인에 대해 품고 있는 편견을 조롱한다. 그리고 샤일록의 입을 빌어 자비는 원래 기독교 이전에 유대인의 가치였으며 예수 역시 유대교 사상가였음을 설교한다(267-268).

제 2의 홀로코스트 담론과 『샤일록은 내 이름』

제이콥슨의 샤일록 이야기 다시쓰기가 이처럼 기발한 변형으로 복수를 무화시키고 기독교 세계와 기독교인들의 오만함을 조롱하는 것에서 그치는 바탕에는 유대인과 기독교인간의 새로운 관계가 가능하지 않다는 작가의 비관적 인식이 깔려있다. 그리고 앞서 지적했듯이 제이콥슨은 제 2의 홀로코스트 담론과 유사한 현실 인식을 보여주며 이는 그가 샤일록의 이야기를 스투룰로비치의 이야기로 다시 쓰는데 크게 영향을 미치고 있다.

역사학자 모우지스(A. Dirk Moses)가 2011년 발표한 글 「종족학살과 역사의 공포」("Genocide and the Terror of History")는 제 2의 홀로코스트 담론을 이해하는 데 유용한 시각을 제공해준다.[44] 모우지스는 홀로코스트의 기억이 인권 문화를 발전시키는데 기여한다는 주장[45]에 회의를 표하는 학자다. 그는 홀로코스트의 경험이 이종 문화 간의 상호이해를 확대하는 계기가 되어야 하며 또 될 것이라고 낙관하는 이들에게 우리 시대의 사례들을 예로 들어 현실은 오히려 그 반대이며 "집단적 자기애와 강박증"의 상태로 퇴행하기 쉽다고 우울한 평가를 내놓는다(91). 여기저기서 홀로코스트가 언급되지만 그것이 보편적 인권을 주장하기 보다는 집단적 파멸에 대한 두려움을 표현하고 선제적

---

44) A. Dirk Moses, "Genocide and the Terror of History," *Parallax* 17.4 (2011): 90-108.
45) 홀로코스트의 기억이 인권문화의 발전에 기여한다는 주장을 펼치는 이론가들에 대한 소개와 논의로는 Moses, 같은 글 90-91 참조.

공격을 정당화하는 근거가 되고 있다는 지적이다. 이스라엘을 옹호하는 시오니스트들의 홀로코스트 해석이 그가 제시하는 대표적 예다.

모우지스는 시오니스트들의 홀로코스트 해석에는 대학살과 추방의 경험이 반복될 것이라는 불안이 상존하며 이것이 정치의 파국화로 이어진다고 분석한다. 그리고 이 심리적 움직임을 잘 보여주는 예로 유명 나치 추적자인 시몬 비젠탈(Simon Wisenthal)을 기념해 만들어진 파리 시몬 비젠탈 국제관계센터(International Relations at the Simon Wiesenthal Centre in Paris)의 위원장 시몬 사무엘스(Shimon Samuels)가 2009년 쓴 글을 거론한다.

우리(유대인들)는 떠들썩한 주식시장과 평화협상이 인간의 조건의 특징인 새천년의 벽두에 서있었다. . . . 우리는 우리가 '홀로 거주하는 민족'에서 민족국가들의 일원으로 회귀한다고 믿었다. . . . 이와 같은 정상화에 대한 환상은 2001년 더반(UN 세계인종차별철폐회의)의 반이스라엘 대투쟁(Intifada)과 함께 산산조각이 났다. 그것은 포스트 홀로코스트 반유대주의의 출발점이며 유대인의 조건과 전 지구적 상황에 대한 새로운 전 지구적 도전이었다. . . . 그들이 사용한 언어는 놀랄 만큼 과거를 연상시킨다: 'BDS 운동'/히틀러의 '유대인의 가게에서 사지마라.' 'Naqba'/'유대인들은 우리의 재난이다.'[46]

우리 시대의 반유대주의에 대해 경고하는 이 글에서 시몬은 21세

---

46) Moses, 앞의 글 96.

기의 BDS 운동(The Boycott, Divestment, Sanctions movement; 경제제재를 통해 이스라엘의 팔레스타인 불법 점령에 항의하는 국제적 운동)과 1933년 나치의 불매운동이, 그리고 1948년 이스라엘 점령에 대한 팔레스타인의 비난(Naqba; 아랍어로 '대참사'라는 의미)과 19세기 후반 독일의 반유대주의자 하인리히 트라이치케(Heinrich Treitschke)의 선전 작업('유대인들은 우리의 재난이다')이 다를 바 없다고 주장한다. 여기서 동시대적 도전은 홀로코스트를 정점으로 하는 유대인 박해라는 틀 내에 배치되며, 이들에게 그 박해는 현재에도 계속 진행 중이다. 따라서 시몬 같은 시오니스트들에게 홀로코스트는 결코 끝나지 않았으며 오늘날 유대인들은 이란과 그의 동맹 세력인 하마스(Hamas)와 헤즈볼라(Hezbollah)로부터 두 번째 홀로코스트의 위협에 처해있다. 그리고 이렇듯 현재의 사건이 트라우마적 역사의 재등장, 영속화로 해석되면서, 예견되는 파멸로부터 자신을 보호한다는 명목으로 선제공격을 포함한 모든 종류의 폭력이 정당화된다. 또 다른 홀로코스트 연구자인 체예트(Bryan Cheyette)에 따르면 이들 담론을 지탱하는 것은 이른바 "탈맥락화된 유대인의 공포의 역사"인데, 그것은 "유대인들을 유례없이 영원하고 불변하는 희생자로 본질화하고, 그럼으로써 반유대주의의 역사를 사회적, 정치적, 역사적 과정 밖에 위치"지우는 것이다.[47)]

소설은 바로 제 2의 홀로코스트 담론을 지탱하는 "탈맥락화된 유대인의 공포의 역사"의 작동을 보여준다. 이것은 소설이 셰익스피어의

---

47) Cheyette, 앞의 글 24.

원작과 달리 샤일록과 안토니오의 갈등을 유대인과 기독교인의 인종적, 종교적 갈등으로 축소하는 것에서 확인할 수 있다. 원작에서 안토니오와 샤일록은 기독교이고 유대인이면서 동시에 베니스 상업계의 중요 인물들이다. 그들의 갈등은 근세 초 자본주의 생성기에 진행된 기독교 상인층과 유대인 고리대금업자 간의 경제적 주도권 다툼을 배경으로 하며, 안토니오는 이 경쟁에서 승리하게 되는 이탈리아 상인금융자본가층을 대변하는 인물이다. 따라서 이들의 갈등은 단순히 반유대주의의 문제가 아니라 근세 초 자본주의 주도권 다툼에서 그것이 어떻게 활용되는가를, 다시 말해 역사 속의 반유대주의의 문제를 보여준다. 그런데 원작에서 샤일록과 안토니오의 살 한 파운드를 둘러싼 다툼이 채무이행이라는 경제적 행위에서 비롯된 것이라면 소설은 그것을 할례의 문제로 바꾼다. 할례는 유대인의 오랜 전통이며 샤피로(James Shapiro)의 지적처럼 서구 문화에서 인종적, 종교적, 심지어 성적 정체성 문제와 관련된 "강력한 기표"였다. 그리고 고리대금업자와 마찬가지로 '거세하는 사람'은 기독교 문화가 유대인들을 악마화하기 위해 이용했던 유대인의 상이었다.[48]

따라서 제이콥슨의 변형은 한편으로 기독교 문화가 만들어낸 유대인 상에 도전하는 것인 동시에 유대인과 기독교인의 갈등을 명확히 하는 것이지만, 그 결과 원전에서 샤일록과 안토니오의 갈등이 놓인

---

48) 반유대주의 담론에서 할례와 거세의 관련성에 대해서는 James Shapiro, *Shakespeare and the Jews* (New York: Columbia UP, 1996) 113-130 참조.

사회적 역사적 맥락이 지워지고 반유대주의는 그 과정 밖에 위치한 것으로 탈맥락화된다. 이것은 제이콥슨이 유대인과 기독교인의 갈등을 초역사적인 것으로 보기 때문이다. 그는 소설 속 샤일록의 입을 빌어 샤일록과 안토니오의 갈등에서 "돈이 그들이 오래된 불평을 두고서 싸우는 싸움터라고 해도, 그것이 전쟁의 원인은 아니었다"고 주장한다. "서로가 상대에게서 보는 악행. 이쪽에서는 오만한 배타주의, 저쪽에서는 사랑과 자비의 오만한 허세, 이것은 자본주의와 고금리의 등장 이전의 일"이기 때문이다(122-23). 그 결과 제이콥슨이 그린 영국은 유대인과 유대인을 혐오하는 반유대주의자 혹은 유대인 애호가로 위장한 반유대주의자로 양분된 곳이 된다. 심지어 등장인물 중 사회의 하층계급이자 흑인인 스투를로비치의 운전기사도 예외가 아니다. 작품은 그를 유대인을 위해 일하지만 그 사실을 내심 경멸하는 반유대주의자로 그려서 이 이분법 속에 위치시킨다.

스투를로비치의 흑인 운전기사는 유일한 하층계급이자 유색인이란 점에서 셰익스피어 극에서 샤일록이 재판 중 언급했던 흑인 노예를 상기시킨다(4.1.89-100). 원전에서 샤일록의 의도는 자신의 복수를 정당화하는 것이었지만, 동시에 흑인 노예는 베니스의 기독교 지배층들의 위선을 보여주며 샤일록(유대인)의 문제를 샤일록만의 문제가 아닌 것으로 만들어 다른 타자들과의 연대 가능성을 열어준다. 하지만 소설에서는 이와 대조적으로—유대인의 고통이 너무 커서 마치 다른이들의 고통을 돌아볼 여력이 없는 듯—흑인 운전기사는 그저 유대인/반유대주의자라는 닫힌 이분법을 완성하는 역할을 한다. 유대인의 공포와 그에 기반한 트라우마적 역사관이 타자에 대한 이해를 어떻게 가로막는가를 보여주는 예인 셈인데, 소설의 이 윤리적 냉담함은 샤일록의 적인 백인 기독교인들을 대할 때 한층 심화된다.

앞서 지적했듯이 당통과 플루러벨은 모두 반유대주의자들이며, 이는 셰익스피어의 원작을 따르는 것이다. 하지만 그들은 원작의 안토니오, 포셔와 비교해 참으로 보잘 것 없고 독자들의 공감을 얻기 힘든 인물들로 그려진다. 이를테면 원작에서 안토니오는 샤일록에게 침을 뱉는 반유대주의자지만 베니스인들의 존경을 받는 "진정한 신사"(3.4.6)다. 그리고 그 역시 돈을 빌리고 빌려주는 "근세 초 신용관계에 깊숙이 개입하고"[49] 있다는 점에서 샤일록의 고리대금업에 대한 그의 분노는 모순적이지만 동시에 자신과 샤일록을 애써 구분하고 자본가적 이윤의 추구와 지나간 시대의 영웅적, 귀족적 가치를 결합하려고 애쓰고 있다는 점에서 공감을 불러일으킨다. 하지만 그들의 후손인 당통과 플루러벨은 반유대주의를 제외하고는 어떤 공통의 신념도 지니지 않은 그저 삶을 낭비하고 감각만을 쫓는 영국 상류층의 텅 빈 삶을 보여주는 존재들이다.

당통과 플루러벨이 할례를 요구하는 스투룰로비치를 어떻게 처리할까에 대해 논의하며 소위 사회의 지배층이라는 사람들이 그를 "저주받을 똥개," "수전노"라고 부르며 낄낄대는 모습은 그들의 사악함과 공

---

49) Theodore B. Leinwand, *Theatre, Finance and Society in Early Modern England* (Cambridge: Cambridge UP, 1999) 17.

허함을 단적으로 보여주는 장면이다. 여러 평자들이 공통적으로 지적하듯이 이 소설에서 기독교인들을 다룬 부분은 스트룰로비치와 샤일록의 이야기에 비해 매우 실망스러우며 이는 결과적으로 스트룰로비치와 샤일록의 이야기의 비극성에 손상을 입힌다.[50] 왜냐하면 에이브럼스의 지적처럼 셰익스피어의 원작에서 샤일록의 비극이 그토록 잔인하고 고통스러운 이유가 그의 적인 안토니오와 포셔가 결코 만만하지 않은 나름의 긍정적 가치를 지닌 인물로 그려졌기 때문이라면,[51] 당통과 플루러벨은 비극의 주인공의 적수로서 한참 부족한 인물들이기 때문이다. 따라서 래스딘(James Lasdun) 같은 이는 이 소설이 타자에 대한 공감과 개선의 여지가 없는 "유대인 핍박의 판타지"가 담긴 프로파갠더일 뿐이라고 혹평을 하기도 하는데, 전적으로 동의하기는 어렵지만 일견 타당한 지적이라고 생각된다.[52]

원작이 샤일록의 이중적 죽음을 바탕으로 기독교 세계가 질서를

---

50) 이 소설에서 기독교인들의 형상화가 예술적으로 부족함을 지적하는 평자들로는 Abrams, 앞의 글; Lucasta Miller. "Shylock is My Name by Howard Jacobson, book review," *Independent* 21 Jan. 2016.
〈https://www.independent.co.uk/arts-entertainment/books/reviews/shylock-is-my-name-by-howard-jacobson-book-review-a6825566.html〉 James Lasdun, "Howard Jacobson Takes on Shakespeare's Venetian Moneylender," *The Guardian* 10 Feb. 2016. 27 Sep. 2016
〈https://www.theguardian.com/books/2016/feb/10/shylock-is-my-name-howard-jacobson-review-retelling-shakespeare-the-merchant-of-venice〉
51) Abrams, 앞의 글.
52) Lasdun, 앞의 글.

찾는 것으로 마무리되었다면, 소설은 유대인 공동체가 결속을 다지는 것으로 끝난다. 복수는 했지만 또 복수에 실패한 스투룰로비치가 집에 돌아와 발견한 것은 병든 어머니 곁을 지키고 있는 딸 비어트리스이다. 소설은 비어트리스가 집을 나간 이유가 기독교 남자를 사랑했기 때문이라기보다는 아버지와 자신의 유대성에 대한 반발 때문이었다고 이야기한다. 그레이턴과의 일탈은 그녀에게 기독교 남자들이 얼마나 열등한 존재인지, 그들에 비해 유대인들이 우월한 문화와 오랜 역사를 지닌 존재임을 깨닫는 계기가 되며, 그녀는 방황을 마치고 유대인의 딸로 아버지 옆으로 돌아온다. 그리고 스투룰로비치 역시 "그가 때로는 소속됨을 인정하고 때로는 인정하지 않는 개념"이었던 "우리"(유대인)를 받아들이고 가정은 평화를 되찾는다. 하지만 밖은 여전히 반유대주의가 판치는 정글이며 그 갈등은 초역사적인 것이기 때문에 벗어나는 것은 불가능하다. 따라서 영원한 반유대주의의 정글 속에서 제이콥슨이 복수 대신 찾은 답은 좀 더 자부심을 가지고 유대인의 정체성을 즐기는 것, 즉 유대인의 인종적 단결뿐이다. 제이콥슨의 샤일록은 스투룰로비치가 기독교인의 사회에 편입되기 위해 수집한 그림들을 보며 다음과 같이 유대인이 견지해야 할 자세를 설교한다.

그(스투룰로비치)는 자신이 가진 것을 좀 더 살폈어야 해, 라고 샤일록은 생각했다. 좀 더 자주, 좀 더 강렬하게, 좀 더 깊은 자부심을 가지고. 그는 그의 것에 귀를 기울이고, 그것을 즐겼어야 해. 그것은 그들(기독교)의 것인가 하면 그에 못지않게 그의 것이기도 했지. 그가 그림을 사

들인다고 해서 그들 중의 하나가 되는 것이 아니었어. 오히려 그 자신이
될 뿐이었지. (240)

홀로코스트를 인류 공동의 유산으로

다시 맨 처음의 질문으로 돌아가 보자. 홀로코스트 이후『베니스
상인』의 상상적 구현은 "스스로 박탈당했던 역사에 근거하여 다른 이
들이 당한 박탈을 이해하면서 그것에 반대하고 저항하는 길은 없을까"
를 묻는 일이라는 전제에서 이 글을 시작했다. 그런데 제이콥슨의 소
설은 안타깝게도 그 길의 어려움을 반증하는 예처럼 보인다. 앞서 언
급한 모우지스의 글은 과장되기는 했지만 왜 이 길이 그렇게 어려울
수밖에 없는지에 대한 주목할 만한 통찰을 보여준다. 그것은 "본질적
으로 견디기 힘든 정동"인 트라우마가 주체의 심리와 신체에 미치는
부정적 영향에 대한 우려이다. 홀로코스트의 기억이 타인의 고통을 이
해하는 길로 나갈 수 있으리라는 기대와 달리 견디기 힘든 고통의 기
억과 그것이 초래한 불안이라는 정동 때문에 오히려 "현실을 오인"하
게 되며 비판적인 자기 통찰과 자기 통제를 통한 이성적 합의에 도달
하는 것이 어려워진다는 지적이다.[53]

같은 이유에서 한때 대표적 시오니스트였지만 현 이스라엘 정부

---

53) Moses, 앞의 글 81-82.

에 그 누구보다도 비판적인 아브라함 버그(Avraham Burg)는 홀로코스트(쇼아) 때문에 이스라엘인들이 긍정적 자질을 상실하고 있음을 다음과 같이 개탄하며 그의 책 제목(『홀로코스트는 끝났다: 우리는 그 잿더미에서 다시 일어서야 한다』*Holocaust Is Over: We Must Rise From its Ashes*)처럼 이스라엘인들은 홀로코스트에서 벗어나야 한다고 호소한다.

> 우리는 쇼아를 역사적 맥락에서 끌어냈고 그것을 모든 행위에 대한 항변이자 발전기로 바꾸었다. 모든 것이 쇼와와 비교되고, 쇼아 때문에 왜소해지고, 따라서 모든 것—방벽, 봉쇄, 공중 폭격, 통행금지령, 식량과 급수제한, 설명할 수 없는 살해—이 허용된다.[54]

버그의 호소가 과거인 홀로코스트를 잊고 현재를 살자는 주장이 아님은 분명하다. 그것은 가능하지 않다. 왜냐하면 "쇼아는 바로 우리의 삶이고, 우리는 그것을 잊지 않을 테고 누구도 우리를 잊을 수 없을 것"[55]이기 때문이다. 그보다는 홀로코스트에 적절한 지위와 위치를 부여해 그것을 제자리에 돌려놓아야 한다는 호소이다.

그렇다면 그것이 어떻게 가능할 것인가. 홀로코스트가 정치의 파국화로 이어지는 현실의 모습을 우려하는 이론가 중 하나인 버틀러는 역설적이지만 그 길은 홀로코스트를 지나간 과거로 만드는 것이라고

---

54) Avraham Burg, *Holocaust Is Over: We Must Rise From its Ashes* (New York: Palgrave, 2008) 78.
55) Burg, 같은 글 78.

이야기한다. 이것은 홀로코스트를 잊는 것이 아니라 결코 잊지 않으려는 다른 방식인데, 왜냐하면 과거를 현재로 취임시키지 않으면서 성찰적으로 비교하는 작업을 위해 과거를 참조할 수 있기 때문이다. 버틀러는 그래야만 우리가 홀로코스트를 과거와 현재, 그때와 지금의 역사적 차이를 무화시키는 트라우마가 아니라 역사가 되도록 만들 수 있으며, 또 그래야만 홀로코스트가 비로소 평등과 정의의 원칙을 도출할 수 있는 인류 공동의 유산이 될 수 있다고 주장한다.56) 그렇다면 제이콥슨의 소설『샤일록은 내 이름』은 앞서 지적했듯이 탈맥락화된 유대인의 트라우마적 역사에서 벗어나는 일의 지난함을 보여주는 예이면서 동시에 홀로코스트를 인류 공동의 "역사"로 돌려놓는 노력의 중요함을 다시금 확인시키는 예가 아닐까 한다. 그리고 그래야만 제대로된 홀로코스트 이후의 샤일록이 탄생할 수 있을 것이다.

---

56) Butler, 앞의 책 25-27.

제2부

————————————

셰익스피어를 통해 생각하는
우리 시대의 인종 문제

————————————

제1장

마이클 래드포드 감독의 〈베니스의 상인〉
9.11과 인종주의의 환상 가로지르기

20세기 말 영화계의 총아로 등장한 셰익스피어

1990년대 중반 이후 셰익스피어 수용사에서 특기할만한 점은 셰익스피어가 영화계의 인기상품으로 부상했다는 것이다. 1996년 바즈 루어만(Baz Luhrmann) 감독의 〈셰익스피어의 로미오 + 줄리엣〉 (*Shakespeare's Romeo + Juliet*)이 개봉된 뒤, 캐네스 브라나(Kenneth Branagh) 감독의 〈햄릿〉(*Hamlet* 1996)과 〈사랑의 헛수고〉(*Love's Labour's Lost* 2000), 리처드 론크레인(Richard Loncraine) 감독의 〈리차드 3세〉

(*Richard III* 1995), 줄리 테이머(Julie Taymor) 감독의 〈티투스 안드로니쿠스〉(*Titus Andronicus* 1999), 애드리안 노블(Adrianne Noble) 감독의 〈한여름 밤의 꿈〉(*A Midsummer Night's Dream* 1996), 올리버 파커(Oliver Parker) 감독의 〈오셀로〉(*Othello* 1995)와 팀 블레이크 넬슨(Tim Blake Nelson) 감독의 〈오〉(*O* 2001), 그리고 2004년 말 마이클 래드포드(Michael Radford) 감독의 〈베니스의 상인〉(*The Merchant of Venice*)에 이르기까지 셰익스피어 영화들이 물밀듯 쏟아져 나왔다. 이에 더해 셰익스피어의 문화적 위치와 그의 작품에 간접적으로 빚지고 있는 영화들[57]까지 꼽자면 그 목록은 한층 더 길어지며, 바야흐로 르네상스의 인기 작가였던 셰익스피어가 20세기 말에 이르러 다시금 대중문화계의 총아로 등극하고 있는 듯이 보인다.

불과 10년 전인 1980년대 만해도 영화계에서 박스오피스의 성공을 위해서 셰익스피어 극에 빚지고 있음에도 그의 이름조차 거론하기를 꺼리던 것이 불문율이었다면,[58] 이처럼 셰익스피어가 다시금 주목받는 이유는 무엇인가? 평자들이 공통적으로 언급하는 요인은 브라나

---

57) 캐네스 브라나 감독의 〈살을 에는 한겨울에〉(*In the Bleak Midwinter* 1995), 로이드 카우프만(Lloyd Kaufman) 감독의 〈트로미오와 줄리엣〉(*Tromeo and Juliet* 1996), 알 파치노(Al Pacino)가 감독하고 주연을 맡은 〈리차드를 찾아서〉(*Looking for Richard* 1996), 스테이스 타이틀(Stacy Title) 감독의 〈악마는 검정색을 입도록 하게〉(*Let the Devil Wear Black* 1999) 등이 이에 해당된다.

58) Lynda E. Boose and Richard Burt, "Totally Clueless?: Shakespeare Goes to Hollywood in the 1990s," *Shakespeare, the Movie: Popularizing the Plays on Film, TV, and Video*, eds. Lynda E. Boose and Richard Burt (London: Routledge, 1997) 12.

란 한 천재 감독의 성공이 대중문화인 영화와 셰익스피어의 상생 가능성을 보여주었다는 점이다. 셰익스피어 연극배우 출신인 브라나는 셰익스피어의 원본에 비교적 충실하면서도, 헐리웃 영화의 틀을 적극적으로 차용하는 한편 스타급 미국 배우들을 전격적으로 기용하는 등 특유의 사업가적 감각을 발휘해 작품성과 흥행 성적 모두에서 성공작을 만들어냈으며, 그의 이러한 성공사례는 셰익스피어가 돈이 될 수 있음을 확인시켜주었다는 것이다.[59] 영화가 연극과 달리 많은 자본이 필요하며, 따라서 시장의 논리에 크게 영향을 받을 수밖에 없는 예술 형식임을 십분 인정한다하더라도, 이렇듯 셰익스피어의 부활을 영화계의 내적 논리로만 설명하는 것은 충분치 않아 보인다. 왜 하필 셰익스피어인지, 그리고 이 현상이 20세기 말에 나타나고 있는 이유는 무엇인지, 그리고 이 시기 생산된 셰익스피어 영화들은 어떤 공통점을 갖는지, 셰익스피어 원작, 그리고 이전 영화들과의 관계는 어떠한지 등 이 현상을 마주한 이라면 누구나 품게 마련인 질문들은 여전히 남는 셈이기 때문이다.

이러한 점에서 90년대 후반 쏟아져 나온 "최근 셰익스피어 영화들이 서구문화가 한 세기에서 다른 세기로 넘어가는 전환기에 따르는 불안에 대면하는 주요 도구였다"는 버넷(Mark Thornton Burnett)과 레이(Ramona Ray)의 지적은 세기말 대시인의 부활과 그 구체적 산물인 영화들을 이해하는데 유용한 지침을 제공해준다.

---

59) Boose and Burt, 같은 글 13-16.

영화들은 결코 셰익스피어 "쉽게 만들기"를 조장하는 것이 아니라, 가족의 위기, 사회적 소외, 도시의 황폐화, 문화적 잡종성, 문학적 권위, 읽기와 쓰기의 역할, 기술의 영향력, 그리고 역사의 종말 같은 묵시록적인 현 상황의 가장 절박한 관심사들에 관여하고 있다. 이런 의미에서 세기말의 논쟁을 예견하는 것부터 그 논란의 한복판에 뛰어 든 영화에 이르기까지, 그들의 시선은 과거만큼이나 미래를 향해 있다.[60]

버넷과 레이의 지적처럼 20세기 말 셰익스피어 영화를 통한 셰익스피어의 부활의 바탕에는 서구문명의 위기가 자리하고 있다. 물론 버넷과 레이가 "묵시록적인 현 상황의 가장 절박한 관심사들"로 예로 든 문젯거리들의 다양성에서도 확인되듯이, 개별 영화들이 셰익스피어를 빌어 관여하는 "가장 절박한 관심사"들과 셰익스피어와의 만남의 양상은 매우 다양하다. 하지만 셰익스피어의 영화화가 언제나 셰익스피어의 작품과 그의 시대라는 과거를 향하는 것일 뿐 아니라, 현재를 주조하고 더 나아가 미래를 바라보는 일이기 마련이라면, 셰익스피어 영화들은 그 다양성에도 불구하고 모두 우리 시대 우리문명의 해석작업이라는 점에서 공통점을 갖는다.

---

60) Mark Thornton Burnett and Ramona Ray, *Shakespeare, Film, Fin de Siecle* (London: Macmillan Press, 2000) 4.

9.11과 래드포드의 〈베니스의 상인〉

2004년 말 개봉한 마이클 래드포드 감독의 〈베니스의 상인〉은 어떻게 셰익스피어 영화가 세기말 서구문명이 마주한 고민과 대면하는지 그 한 양상을 잘 보여주는 흥미로운 사례이다. 『베니스의 상인』은 셰익스피어 극 중 전 세계적으로 가장 많이 읽히고 가장 빈번하게 무대에서 공연된 작품이다. 하지만 놀랍게도 극장용 유성영화로는 래드포드의 영화가 최초인데, 이처럼 헐리웃 감독들 뿐 아니라 전 세계의 감독들이 이 작품을 기피했던 배경에는 샤일록이라는 인물과 그 인물에 얽힌 유대인 대학살(Holocaust)이라는 현대사의 비극이 자리한다. 나치시대의 독일인들은 반유대주의를 정당화하기 위해 샤일록이 악인으로 등장하는 『베니스의 상인』을 이용했으며 셰익스피어의 이름으로 자신들의 인종적 편견과 증오를 정당화했다. 나치시대의 『베니스의 상인』 공연과 해석[61]은 문학작품이 어떻게 정치적 목적과 선전을 위해 악용될 수 있는지를 보여주는 극단적 사례들이며, 유대인 대학살 이후 『베니스의 상인』과 샤일록은 매우 다루기 어려운 예민한 문제가 되었다.

하지만 『베니스의 상인』은 샤일록이 악인으로 그려지고 그의 패

---

61) 나치시대에 독일인들이 독일인의 우월성과 반유대주의를 정당화하고 조장하기 위해 셰익스피어 극, 특히 『베니스의 상인』을 어떻게 해석하고 이용했는지에 대해서는 John Gross, *Shylock : A Legend and its Legacy* (New York: Simon & Schuster, 1992) 319-323 참조.

배, 제거로 마무리된다고 해서 결코 반유대주의적이라고 치워버릴 수 없는, 셰익스피어 희극들 중 가장 문제적인 작품이다. 과연 셰익스피어가 유대인 샤일록과 기독교인들 간의 인종적, 종교적 갈등을 어떻게 극화하는지는 비평의 핵심 쟁점이었으며, 사악한 유대인에 대한 선량한 기독교인의 명백한 승리라는 평가부터 시작해, 기독교인의 승리이긴 하지만 그 승리의 애매함을 지적하는 평가들, 그리고 더 나아가 기독교인과 유대인 모두에 대한 비판이라는 해석에 이르기까지 다양한 해석과 논란이 존재 한다. 바버(C. L. Barber), 커모드(Frank Kermode)는 이 극을 선량한 기독교인의 명백한 승리의 이야기로 보는 대표적 비평가이며, 댄슨(Lawrence Danson)은 기독교인의 승리라는 점에 동의하지만 셰익스피어의 태도에 애매함이 숨어있음을 지적한다.[62] 샤일록과 기독교인 모두에 대한 비판으로 보는 평자들로는 지라르(René Girard)와 맑스주의 비평가인 라이언(Kiernan Ryan), 코헨(Walter Cohen)이 있다.[63]

---

62) C. L. Barber, *Shakespeare's Festive Comedy: A Study of Dramatic Form and Its Relation to Social Custom* (Princeton: Princeton UP, 1959); Frank Kermode, "The Mature Comedies," *Early Shakespeare,* ed. John Russel Brown and Bernard Harris (New York: St. Marin's Press, 1961); Lawrence Danson, *The Harmonies of 'The Merchant of Venice'* (New Haven: Yale University Press, 1978)

63) René Girard, "'To Entrap the Wisest': A Reading of *The Merchant of Venice*," *Literature and Society,* ed. Edward W. Said (Baltimore: Johns Hopkins UP, 1980) 100-19; Kiernan Ryan, *Shakespeare* (New York: Harvester, 1989); Walter Cohen, "*The Merchant of Venice* and the Possibilities of Historical Criticism," *ELH,* Vol. 49,

코헨은 『베니스의 상인』에 대한 다양한 견해들을 소개하며 셰익스피어의 어떤 희극도 이 정도의 논란을 불러일으켰던 적은 없다고 지적하는데,[64] 이것은 그만큼 이 작품이 샤일록과 안토니오의 갈등을 통해 보여주는 반유대주의와 자본주의에 대한 탐색이 단순치 않음을 보여주는 증거라고 생각된다. 이 극이 문제적임은 극을 선량한 기독교인의 승리로 해석하고 싶어 하는 전통적 비평가들의 글에서도 확인할 수 있다. 이 극을 "축제희극"(Festive Comedy)의 틀로 분석하는 바버는 샤일록을 축제의 정신, 공동체 정신을 파괴하는 인물로 규정하고자 하지만, 다른 한편 그의 처지와 고통이 강한 파토스를 자아내고 그의 형상화가 어느 인물보다도 생생하게 이루어져있다는 점을 인정하면서 동시에 독자에게 샤일록에 대한 감성적 공감에 넘어가지 말기를, 극의 의도를 잊지 말기를 당부하기를 반복한다. 비평가의 의도와 실감의 간극을 보여주는 이 계속된 당부는 역설적으로 이 극이 샤일록의 패배로 마무리되지만 그가 제기하는 문제가 만만치 않음을 증명해주는 예이다.[65]

마이클 래드포드가 『베니스의 상인』을 영화화하며 주목하는 것 역시 샤일록과 안토니오의 갈등이며 반유대주의와 자본주의의 문제이다. 래드포드는 인터뷰에서 이 영화를 제작하는데 9.11의 경험이 촉발제가 되었음을 고백한다.[66] 2001년 9월 11일 소수의 '이슬람주의 정치

No.4(Winter, 1982): 765-789.
64) Cohen, 같은 글 767.
65) Barber, 같은 책 185-218.
66) Rebecca Murray, Interview with *The Merchant of Venice*'s Director Michael Radford.

집단'(Political Islamist)에 의해 자행된 비행기테러는 비단 미국인들 뿐 아니라 전 세계인들을 충격에 빠뜨렸던 사건이다. 그것은 막강한 군사력과 정보력을 지닌 초강대국인 미국의 심장부가 소수의 테러리스트들에 의해 속수무책으로 무너져 내렸다는 점에서, 그리고 그들의 행위를 추동한 미국과 현자본주의 세계질서에 대한 불만과 증오가 수백 명의 미국시민들은 물론 자신들의 목숨까지도 희생할 정도로 깊은 것임을 확인시켜주었다는 점에서 충격적이었다. 하지만 여러 학자들이 지적하듯이, 미국 밖으로 눈을 돌린다면 9.11은 충격적이긴 하지만 예외적인 사건은 아니다. 세계도처에서 미국 또는 다른 강대국들에 의해, 혹은 그들의 은밀한 동조 아래 억압과 살상행위가 자행되어왔으며 또 현재도 자행되고 있는 게 현실이다.67) 이런 관점에서 보자면 9.11은 문명론자들이 주장하듯이 세계사적 전환점이라기보다는, 착취와 배제를 토대로 하고 그것을 인종과 종교의 이름으로 정당화해온 자본

⟨http://www.movies.about.com/od/merchantofvenice/a/merchntmr122304.htm⟩

67) 9.11에 예외성을 부여하고 이 사건을 헌팅턴(Samuel Huntington) 식의 "문명의 충돌" 시대의 시작을 알리는 것으로 해석하려는 흐름에 우려를 표하며, 9.11을 근대 자본주의 세계체제의 변화와 그에 대한 대응으로 해석하려는 대표적 학자들로 월러스틴(Immanuel Walletstein), 지젝(Slavoj Žižek), 맘다니(Mahmood Mamdani) 등이 있다. Immanuel Wallerstein, *The Decline of American Power: The U.S. in a Chaotic World* (New York: The New Press, 2003); Slavoj Žižek, *Welcome to the Desert of the Real: Five Essays on September 11 and Related Dates* (London: Verso, 2002); Mahmood Mamdani, *Good Muslim, Bad Muslim: America, the Cold War, and the Roots of Terror* (New York: Pantheon Books, 2003)

주의 세계체제의 현실을 미국인을 포함한 다수인류가 다시 한 번 실감하게 된 계기이자, 셰익스피어가 샤일록과 안토니오의 갈등을 통해 천착했던 인종차별주의의 문제가 여전히 유효함을, 아니 점점 더 심각해져가고 있음을 보여주는 사건이라고 할 수 있다.

버넷과 레이의 지적처럼 셰익스피어의 영화화가 셰익스피어 작품과 그의 시대라는 과거를 향하는 것일 뿐 아니라, 현재를 주조하고 더 나아가 미래를 바라보는 일이라면, 래드포드의 영화는 셰익스피어와의 만남이면서 동시에 우리 시대의 인종적 적대와 폭력에 대한 한 연구이다. 이 글은 래드포드의 영화가 샤일록과 안토니오의 갈등을 어떻게 그려내는지, 다시 말해 감독의 현재적 관심에 따라 셰익스피어의 작품이 어떻게 재해석되는지를 살피며 감독이 21세기 우리가 직면한 인종적 적대와 증오로 얼룩진 세계적 혼란기에 대해 던지는 메시지는 무엇인지를 찾아보고자 한다.

"1596년 베니스"

"1596년 베니스"(Venice 1596)라는 자막으로 시작하는 이 영화의 첫 시퀀스는 래드포드가 셰익스피어 텍스트와 현재의 만남을 꾀하며 취하는 방식이 과거를 섣불리 현재로 불러오기보다는 과거의 역사적, 사회적 맥락 속에 확고히 위치 짓는 것임을 확인케 한다. 래드포드가 보여주는 "1596년 베니스"는 인종적 적대와 증오로 가득한 곳이다. 핏발

선 눈으로 커다란 십자가를 앞세운 채 유대인을 고리대금업자들이라고 욕하며 그들에 대한 증오를 선동하는 기독교 성직자, 유대인의 성서를 불태우고 그들의 모자를 벗기고 심지어 물에 처넣는 기독교인들, 유대인의 표시인 빨간 모자를 쓴 채 이를 두려움에 찬 눈으로 지켜보는 유대인들. 영화는 이들의 모습을 보여주면서 그 모습만으로 충분치 않다는 듯, 중간 중간에 자막으로 당대 유대인이 어떤 처지에 놓여있었는지를 설명한다. 당시 유대인들의 거주지가 게토에 한정되었으며, 낮에 그곳을 벗어날 때는 낙인과도 같은 빨간 모자를 쓰도록 강요되었다는 것, 그리고 유대인들이 증오의 표적이 된 표면적 이유인 고리대금업조차 외국인에게 부동산 소유가 금지되었던 베니스 법 아래서 살아남기 위한 고육지책이었다는 점에 이르기까지 16세기 말 베니스 사회의 이방인이었던 유대인들의 인종차별적, 억압적 상황이 친절하게 요약, 정리되며, 유대인의 핍박을 보여주는 장면은 다정하게 말을 거는 샤일록에게 베니스의 상인인 안토니오(Antonio)가 침을 뱉는 대목에서 클라이맥스에 달한다.

지나치게 친절하다 싶기도 한, 무려 오 분 여에 걸쳐 지속되는 이 시퀀스를 창조, 삽입한 이유에 대해 래드포드는 셰익스피어를 모르는 관객들도 영화에 흥미를 느끼고 몰입할 수 있도록 도와주기 위해서라고 답한다. 셰익스피어의 원작이 별다른 설명 없이 사건의 한복판에서 시작한다면, 래드포드는 관객에게 등장인물들이 서로 어떻게 연관되어있으며 왜 그런 식으로 행동할 수밖에 없는지 그 "배경 이야기"를 먼저 들려주고자 한다는 것이다.[68]

과연 셰익스피어의 방식과 래드포드의 방식 중 어떤 것이 사건과 등장인물들 간의 갈등을 더 효과적으로 전달하는지, 그리고 이 다름이 함축하는 연극과 영화의 차이는 따로 생각해볼 문젯거리일 테지만, 하나 분명한 것은 영화가 들려주고 보여주는 "배경 이야기"가 역사적 사실의 보고를 넘어선 사건과 등장인물들의 갈등에 대한 감독 래드포드의 해석 작업의 일환이라는 점이다. 감독은 이른바 "배경 이야기"를 통해 작품의 핵심갈등인 샤일록과 안토니오의 갈등을 16세기 유럽사회에서 유대인들이 처했던 인종차별적, 억압적 상황이라는 역사적 맥락 속에 위치시킨다. 그리고 이를 통해 샤일록을 악의 화신이 아닌 인간으로, 그것도 핍박받는 인종의 일원으로 그려내며 이후 표출될 샤일록의 끔찍한 증오와 복수심에 인간적, 사회적 동기를 부여한다.

[사진 1] 제시카가 떠났음을 확인한 뒤 오열하는 샤일록

---

68) Murray, 앞의 글.

이렇듯 샤일록에 인간적 색채를 더해 그를 피해자로 그리려는 의도는 첫 대목 이외에도 곳곳에서 발견된다. 이를테면 영화는 1막 3장에서 샤일록이 밧사니오(Bassanio)를 위해 돈을 빌리러 온 안토니오를 앞에 두고 방백으로 기독교인들에 대한 적나라한 증오를 표현하며 기회만 된다면 이 원한을 갚아주겠다는 속내를 드러내는 대목은 삭제하고(1.3.34-44)[69] 대신 딸이 자신을 버리고 기독교인을 따라 떠났음을 알고 오열하는 샤일록의 모습을 첨가한다(사진 1). 이를 통해 안토니오의 가슴살 한 파운드를 고집하는 샤일록의 행각이 악의를 가지고 처음부터 계획된 것이라기보다는 억압적인 환경 속에서 쌓였던 원한이 딸의 도주라는 충격적인 사건을 계기로 폭발한 것으로 그린다. 특히 영화는 샤일록이 딸을 찾아 고통스러워하며 빗속을 헤매는 장면과 2막 8장에서 솔레니오(Solanio)와 살레리노(Salarino)가 시시덕거리며 "개 같은 유대인 놈"(the dog Jew)이 딸의 도주사실을 알고 "내 딸! 오 내 돈! 오 내 딸!"(My daughter! O my ducat! O my daughter!)이라고 울부짖으며 온 베니스 거리를 헤매고 다녔다는 지를 이야기하며 샤일록을 조롱하는 장면을 병치한다. 이 두 장면의 병치는 타인의 고통을 고통으로 느끼지 못하고 한갓 조롱거리로 삼는 기독교인들의 도덕적 불감증과 비열함, 그리고 그 바탕에 깔린 인종주의의 깊이를 실감케 하는 한편, 이른바 '돈밖에 모르는 놈들'이라는 유대인의 상이 다름 아닌 기독교인들 자신

---

69) 텍스트는 M. M. Mahood (ed.), *The New Cambridge Shakesepare: The Merchant of Venice* (Cambridge: Cambridge UP, 1987)를 사용했다.

이 만들어낸 이미지임을 효과적으로 보여 준다.[70]

안토니오의 "슬픔"과 금융자본주의

샤일록이 이렇듯 "죄를 지었다기보다는 부당한 대우를 당한 사람"(a man more sinn'd against than sinning)(3.2.57-58. *King Lear*)으로 해석되면서 자연스레 그와 대척점에 서 있는 안토니오와 베니스 사회는 훨씬 더 부정적으로 그려진다. 안토니오에 대한 감독의 해석에서 가장 눈에 띄는 변형은 베니스를 대표하는 거부인 그를 괴롭히는 알 수 없는 "슬픔"의 원인을 밧사니오와의 관계에서 찾는다는 점이다. 영화는 "실은 내 마음이 왜 이리 슬픈지 나도 모르겠네"(In sooth I know not why I am so sad. 1.1.1)라는 안토니오의 장탄식으로 시작하는 장면에서 그의 슬픔이 다름 아닌 젊은 귀족 밧사니오에 대한 그의 남다른 감정 탓임을 분명히 한다.

안토니오가 내다보는 창밖 너머로 화면 가득 잡힌 밧사니오의 모습, 그리고 그를 애틋함과 슬픔이 담긴 눈길로 바라보는 안토니오의 얼굴과, 우울증의 원인이 "사랑 때문인 것은 아니냐"는 살레리오의 목

---

70) 2막 8장에서 솔레니오와 살레리노가 나누는 이 대화는 『베니스의 상인』을 기독교 인의 승리로 해석하는 전통적 비평가들에 의해 샤일록이 돈의 노예이며 따라서 축제에서 축출될 수밖에 없음을 주장하며 예로 드는 대목이라는 점에서 영화의 이 재해석은 더욱 흥미롭다. Barber, 앞의 책 178-179.

소리가 보이스 오버되면서 밧사니오에 대한 안토니오의 감정이 심상치 않으며 둘의 관계가 단순히 친구 혹은 후원자와 후견인의 그것을 넘어선 것임을 암시한다면, 안토니오의 침실에서 둘이 나누는 키스는 이 의문에 확신을 부여한다(사진 2). 영화 개봉당시 적잖은 논란을 초래했던[71] 이 해석에 대해 감독은 이것 역시 등장인물들의 행동에 그럴 법한 동기를 부여하기 위한, 즉 "포셔와 안토니오를 향한 밧사니오의 감정이 시험대에 오르는, 셰익스피어 희곡의 마지막 장 때문에, 밧사니오를 향한 안토니오의 사랑을 강조하는 게 중요했다"고 의도를 밝히지만,[72] 이 해석이−감독이 그것을 의도했건 아니건 간에−안토니오를 더 부정적이고 병적이기까지 한 인물로 만든다는 점은 부인할 수 없을 듯하다.

린윈드(Theodore B. Leinwand)가 지적하듯이 셰익스피어 극에서 안토니오의 알 수 없는 "슬픔"은 그가 베니스 금융과 해외무역에서 수행하는 역할과 긴밀히 연관되어 있다.[73] 안토니오와 샤일록의 갈등은 근세 초 자본주의 생성기에 진행된 기독교 상인층과 유대인 고리대금업자들 간의 경제주도권 다툼을 배경으로 하며, 안토니오는 이 경쟁에서

---

71) Roger Ebert, "Merchant of Venice Gets Its Due," Rev. of *The Merchant of Venice*, *Chicago Suntimes*, 2005. 1. 21.
⟨http://rogerebert.suntimes.com/apps/pbcs.dill/article?AID=/20050120/REVIEWS/50103003/1023.⟩
72) Murray, 앞의 글.
73) Theodore B. Leinwand, *Theatre, Finance and Society in Early Modern England* (Cambridge: Cambridge UP, 1999) 16-17.

[사진 2] 안토니오가 밧사니오를 도와주기로 약속한 뒤 키스하는 장면.
단순히 우정의 키스라고 보기에는 그들의 표정이 심상치 않다.

승리하게 되는 이탈리아 상인 금융자본가층을 대변하는 인물이다.[74] 안토니오가 샤일록을 경멸하는 명목상의 이유는 그가 '새끼를 치지 못하는 쇠붙이로 새끼를 치는' 고리대금업자이기 때문이다(1.3.122-9). 안토니오는 샤일록의 돈놀이에 대비해 자신의 사업을 신의 손에 그 운을 맡기는 "모험적 투자"(venture)라는 점에서 정당화하지만(1.3.83), 안토니오 역시 샤일록과 마찬가지로 돈을 빌리고 빌려주는 "근세 초 신용관계에 깊숙이 개입하고" 있다.[75] 따라서 안토니오의 슬픔은 그가 베니스 사회에서 수행하는 역할과 자신과 샤일록을 애써 구분하고, 자본가적 이윤의 추구와 지나간 시대의 영웅적, 귀족적 가치를 결합하려고 애쓰며 보여주는 그의 의식 사이에 존재하는 괴리의 표현이다.

안토니오에 대한 셰익스피어의 태도는 단순치 않다. 안토니오가

---

74) Cohen, 앞의 글 771.
75) Leinwand, 같은 책 17.

느끼는 알 수 없는 슬픔으로 그의 현실과 이상의 간극을 지적하고 그의 이상의 실현가능성에 강한 의구심을 표현하지만, 동시에 안토니오와 그의 이상은 충분히 존중받을 만한 것으로 그려진다. 특히, 밧사니오에게 아무런 대가를 바라지 않고 자신의 목숨까지 걸며 보여주는 "신과 같이 거룩한 우정"(god-like amity. 3.4.3)은 그의 여러 부정적 모습을 상쇄하는 덕목을 보여주는, 다시 말해 베니스 사람들이 왜 그를 "선량한 안토니오, 정직한 안토니오"(good Antonio, honest Antonio 3.1.10-11), "진정한 신사"(true a gentleman 3.4.6)라고 부르는지 그 이유를 알려주는 대목이다.

래드포드의 영화가 안토니오의 우정을 밧사니오라는 한 젊은 남자에 대한 동성애적 사랑의 표현으로 해석하며 삭제하는 것은 바로 근대 자본주의 선구자이면서 자비와 우애, 그리고 사회적 책임감이라는 귀족적이면서 동시에 르네상스적인 가치를 추구하는 안토니오의 모습이다. 그 결과 비록 감독의 의도대로 밧사니오를 둘러싼 포셔와 안토니오의 미묘한 신경전은 실감나게 그려졌을지 모르지만, 안토니오의 슬픔은 모든 것을 가졌지만 삶에서 지켜야할만한 어떠한 것도 갖지 못한 늙은 상인의 그것으로 전락한다. 내세울 것이라곤 젊음밖에 없어 보이는, 너무나도 경박한 귀족 밧사니오에 대한 그의 집착은 샤일록에 대한 그의 생경한 증오만큼이나 안토니오의 삶과 존재의 공허함을 드러내주며, 이 공허함은 안토니오로 분한 배우가 다름 아닌 존재 자체만으로 우울과 공허함을 대변하는듯한 제레미 아이언즈(Jeremy Irons)란 점에서 더욱 실감나게 형상화된다.

셰익스피어의 베니스와 래드포드의 베니스

이와 같은 안토니오의 변형은 그가 대변하는 자본주의를 바라보는 감독의 시선이 셰익스피어에 비해 한 층 더 암울해진 점과 긴밀히 연결되어있다. 영화가 극과 가장 다른 점은 대사만으로 이루어진 문자 텍스트를 구체적인 배경 속에서 살아 움직이는 인물들의 장면들로 전환해야 한다는 점이며, 이 과정에서 대사의 어느 대목을 보여주고 어느 대목을 삭제할 것인가, 그리고 비록 대사에는 없지만 어느 대목을 덧붙일 것인가의 판단은 전적으로 감독의 몫이다. 그리고 그 취사선택에 극중 인물과 사회에 대한 감독의 평가가 담겨있기 마련이라면, 이 영화에서 감독은 베니스 사회를 부정적으로 그리기로 작심한 듯하다.

그는 우선 작중인물의 대사 중 베니스 사회와 베니스인들의 허위와 위선을 드러내는 대목을 남김없이 구체적 장면으로 보여준다. 영화의 첫 대목에서 안토니오가, 그것도 다정하게 말을 거는 샤일록에게 침을 뱉는 장면으로 베니스 사회가 인종적, 종교적 차별과 억압에 기초한 곳임을 보여주었다면, 재판장면에서 감독은 자비를 설교하는 기독교인들을 향해 베니스 사회에 존재하는 노예의 존재를 상기하며 자신의 복수를 바로 기독교인의 모범을 따른 것으로 정당화하는 샤일록의 대사(4.1.89-100) 바로 뒤에 베니스인들을 위해 부채질을 하는 아랍계 흑인 노예의 모습을 삽입한다(사진 3). 이 장면의 삽입은 노예에 대한 언급이 샤일록의 말일 뿐이지 작품의 어느 대목에도 기독교인들이 노예를 소유하고 있다는 증거가 없다는 점에서 샤일록의 비난의 진정

[사진 3] 부채질을 하는 아랍계 흑인 노예의 모습. 그가 부채질을 해주는
사람이 다름 아닌 샤일록의 잔인함을 가장 앞장서서 나무라며 유
대인을 경멸하는 태도를 보이는 그라치아노라는 점이 흥미롭다.

성에 의문이 제기되어온 대목이라는 점에서 더욱 흥미롭다.[76] 영화는
이 장면의 삽입을 통해 베니스 사회의 허위와 위선을 고발하는 샤일
록에게 힘을 실어주며, 동시에 샤일록의 비인간적이며 잔인한 복수가
바로 모든 것을 상품화하는 베니스 사회의 지배적 가치의 논리를 극
단적으로 따른, 바로 베니스 사회의 산물임을 보여준다.

　　베니스 사회와 자본주의에 대한 감독의 부정적 시각을 가장 극적
으로 보여주는 것은 감독 자신이 만들어낸 창녀들의 모습이다. 영화의
베니스 사회에서 가장 인상 깊은 것은 그곳에 넘쳐나는 창녀들의 존

---

76) Cohen, 앞의 글 773-774; Thomas Moisan, "'Which is the merchant here? and which
　　is the Jew?': Subversion and Recuperation in *The Merchant of Venice*," *Shakespeare
　　Reproduced: the Text in History & Ideology,* eds. Jean E. Howard & Marion F.
　　O'Connor (New York: Methuen, 1987) 197-198.

재이다. 영화는 반복해서 가슴을 온통 드러내고 거리를 활보하는 창녀
들과, 또 사창가에서 그녀들의 가슴에 얼굴을 파묻고 유대인을 조롱하
고 거래를 하는 베니스인들의 모습을 비춘다(사진 4).

[사진 4] 실레리노와 솔레니오를 반기는 매음굴의 창녀들

　영화 속 베니스의 모습은 셰익스피어 극이라는 과거에 감독의 현
재가 어떻게 개입하는가를 잘 보여주는 대목이다. 셰익스피어의 『베
니스의 상인』에서 자본주의가 인간관계를 위협하는 것이면서도 세계
각지의 항구를 향해 떠난 안토니오의 대상선이 마치 바다의 귀족, 바
다의 대부호, 또는 바다의 꽃수레에 비유되듯이(1.1.8-14) 초기의 활력
과 매력을 간직한 것이었다면, 21세기의 래드포드의 베니스 사회에서
그와 같은 활력과 매력을 찾아보기란 매우 어렵다. 셰익스피어의 시대
이후 지난 수백 년간 수많은 안토니오들의 대상선들이 바다의 귀족처
럼 나아가 전 세계에서 어떤 짓을 자행했는지 잘 알고 있는 감독에 의
해 다시 태어난 베니스 사회는 장사꾼들과, 사랑이 아니라 인종적 적
대와 증오를 설교하는 기독교 성직자, 그리고 창녀들이 가득한 곳일

뿐이다. 창녀들의 존재가 셰익스피어의 시대에 시작된 인간관계의 상품화가 완료된 우리 시대의 소외의 상징이라면, 유대인에 대한 증오를 설교하는 기독교 성직자들의 핏발 선 눈은 자본의 지배와 착취구조를 유지하는 이데올로기가 다름 아닌 인종차별주의임을 보여준다.

희극을 비극으로

　한 영화평론가는 이 영화를 보고 난 뒤 다시 원전을 읽기 위해 셰익스피어 비극모음집을 뒤지다 이 극이 희극임을 기억해내곤 깜짝 놀랐다고 고백한다.[77] 이 어처구니없는 실수는 이 영화가 변형을 극도로 억제하며 원전을 충실히 재연하면서도 원전과 얼마나 다른 결과를 만들어냈는가에 대한 증언이다. 앞서 지적했듯이 『베니스의 상인』은 셰익스피어의 희극 중 가장 문제적인 작품 중 하나이다. 주제의 진지함과 사회경제적 측면의 강조에서 1590년대에 공연된 셰익스피어의 희극 작품들과 구별되며 쉽사리 낭만희극의 범주에 묶이지 않는 극이지만, 갈등의 해결과 화해로 마무리된다는 점에서 철저히 희극의 공식을 따른다.[78] 셰익스피어의 낭만희극에서 결말의 화해가 극이 제기한 사회적 갈등과 딜레마들의 충분한 해결책인지는 언제나 논란거리이지

---

77) Ebert, 앞의 글.
78) Cohen, 앞의 글 781.

만, 갈등에서 화해로 나가는 극의 움직임은 현실의 구속을 넘어서 더 나은 사회와 인간관계의 가능성을 꿈꾸는 유토피아적 전망의 표현이며 이것은 셰익스피어 희극의 중요한 한 면모이다.

이것은 『베니스의 상인』의 경우에도 마찬가지이다. 포셔의 활약으로 위기에 처했던 안토니오와 베니스 사회가 구출되고 포셔와 밧사니오, 그리고 네리사(Nerissa)와 그라치아노(Gratiano) 두 젊은 연인의 결합으로 완성되는 이 극의 화해와 조화는 샤일록의 철저한 배제를 바탕으로 한 것이란 점에서 문제적이지만, 이것 역시 유토피아적 전망의 표현이라는 점은 부인할 수 없다. 코헨이 지적하듯 이 극은 이를 통해 "경제적 행위와 도덕적 행위간의, 그리고 외면적 부와 내면적 부유함 간의 조화"를 모색하며 샤일록과 베니스 사회 모두를 넘어선 "인간관계가 착취적이지 않은 사회"의 가능성을 타진한다.[79] 그리고 이 전망은 현실이 아니란 점에서 환상이며 현실을 신비화할 위험이 있지만, 동시에 현실의 구속에서 벗어나 더 나은 사회의 가능성에 눈을 돌리게 한다는 점에서 해방적이다.

영화는 표면적으로만 보면 극의 줄거리를 충실히 따른다. 하지만 그것을 통해 셰익스피어가 꿈꾸던 것이 더 이상 실현가능하지 않음을 고백한다. 재판장면은 감독의 어두운 전망을 가장 잘 보여주는 대목이다. 지금까지 샤일록을 인종차별적인 베니스 사회의 희생자로 그려내던 감독은 피해자가 가해자로 자리를 바꾼 이 장면에서 안토니오와

---

79) Cohen, 앞의 글 775-776.

샤일록 모두에게 거리를 두며 두 인물 모두가 인종주의란 감옥의 수인(囚人)임을 보여준다.

　기이한 재판을 보려고 몰려든 베니스인들, 그리고 그들이 던지는 야유와 위협의 한 가운데에서 섬처럼 홀로 서있는 샤일록의 모습은 베니스 사회에서 유대인으로서 그의 위치가 어떠했는지를 다시 한 번 극적으로 보여주며 안토니오에 대한 샤일록의 "쌓이고 쌓인 증오"(a lodged hate 4.1.60)를 이해 가능한 것으로 만든다. 하지만 그 증오의 표현이 얼마나 끔찍한지 역시 잊지 않는다. 영화는 선정적이다 싶을 정도로 사실적으로 안토니오의 살 한 파운드를 떼어 내기 위한 준비 과정을 보여준다. 어서 판결을 내리라며, 저 유대인 놈에게 원하는 것을 주라며 의연한 척 굴던 안토니오가 막상 판결이 내려지자 실신하는 모습부터, 형틀에 그의 팔을 묶고, 재갈을 물리고, 셔츠를 벗기는 것에 이르기까지. 셔츠를 벗기자 드러난 안토니오의 늙은 가슴은 인종주의의 화신 같던 그 역시 한 명의 인간에 불과하며 샤일록의 복수가 얼마나 파괴적이고 비인간적인 것인지를 생생하게 보여준다(사진 5).

　하지만 그렇다고 샤일록의 복수의 끔찍함이 샤일록에 대한 기독교인들의 처사를 정당화하는 것은 아니다. 감독은 인터뷰에서 이 대목을 언급하며 샤일록이 비록 피해자이지만 넘어서는 안 되는 선을 넘어선 인물이라고 평가한다.[80] 하지만 영화가 정작 보여주는 것은 너무나도 지당한 이러한 도덕적 판단이 현실에서 얼마나 순진할 수 있

---

80) Murray, 앞의 글.

[사진 5] 겁에 질린 채 묶여 있는 안토니오와 그의 가슴살을 떼어내기 위해 칼을 들이대는 샤일록

는지, 다시 말해 도덕적 설교로 쉽사리 이해하거나 해결될 수 없는 현실의 모습이다. 샤일록의 도전에 대한 기독교인들의 처벌은 그의 복수만큼이나 잔인하다. 자비를 설교하던 포셔가 이방인의 위협으로부터 베니스인의 보호를 목적으로 제정된 법의 칼날로 샤일록의 재산을 뺏었다면 안토니오는 자비의 이름으로 샤일록에게 개종을 강요하며 그의 존재를 지탱하는 종교마저 박탈한다. 영화는 반쯤 정신 나간 얼굴로 유대교의 표지인 목걸이를 부여잡은 채 베니스인들의 야유와 조롱 속에 사라지는 샤일록의 모습을 통해, 이 재판을 통해 변한 것이 아무것도 없음을, 그리고 샤일록이 도전했던 이 체제가 얼마나 강고한지를 느끼게 해준다.

　재판장면은 래드포드가 16세기의 작품 『베니스의 상인』을 영화화하며 왜 9.11을 언급하는지 그 이유를 분명히 보여준다. 칼을 들고 안토니오의 심장을 겨누는 샤일록의 모습은 여러 가지 점에서 비행기를 몰고 미국의, 자본주의 서구의 심장부인 쌍둥이 빌딩과 펜타곤을 향하던 이슬람 테러집단의 그것과 너무도 닮아있다. 단지 유대인에서 이슬람교도로 주체가 바뀌었을 뿐이다. 감독은 셰익스피어의 입을 빌어 그들의 증오가 샤일록의 증오와 마찬가지로 인종주의에 기초한 서구 자본주의사회의 억압이 낳은 결과임을 보여주면서, 동시에 그들의 복수가 전혀 해결책이 아니며 서구사회의 논리와 증오를 되풀이하는 것임에 불과함을 이야기한다.

하지만 셰익스피어와 영화의 공통점은 여기까지이다. 16세기의 셰익스피어가 안토니오의 복권과 포셔와 밧사니오의 결혼을 통해 "경제적 행위와 도덕적 행위간의 조화," "부르주아지의 이윤추구와 귀족적인 사회적 책임감의 양립가능성"81)을 꿈꾸었다면 영화는 셰익스피어의 꿈이 불가능함을 이야기한다. 이것은 감독이 안토니오를 젊은 연인들의 사랑과 화해의 현장에서 배제된 또 하나의 인물로 설정하는 이유이기도 하다. 영화는 바다에서 태풍을 만나 난파된 것으로 알려졌던 안토니오의 배가 사실은 무사했음을 알리는 포셔의 대사를 삭제한다(5.1.274-279). 그리고 젊은 연인들이 사랑의 완성을 위해 침실 문을 닫고 사라진 뒤 그 닫힌 문밖에 쓸쓸히 서 있는 안토니오의 모습과 기독교도로 강제 개종한 샤일록이 유대인회당의 닫힌 문을 바라보는 장면을 병치한다. 영화는 이렇듯 한 때 베니스 사회와 베니스의 유대인 사회를 지배했으나 재산과 사랑 모두를 잃게 된 두 가부장의 모습을

---

81) Cohen, 앞의 글 776.

통해 인종주의 악순환에 갇혀있는 안토니오와 샤일록의 세계엔 희망
이 없음을 간접적으로 암시한다(사진 6).

[사진 6] 연인들이 사라진 문밖에 홀로 서있는 안토니오의 모습

영화의 마지막 장면은 제시카(Jessica)의 몫이다. 영화는 두 연인들
이 사랑을 나누고 있을 포셔의 성에서 홀로, 새 신랑 로렌조(Lorenzo)
를 뒤에 남겨둔 채 달려 나와 하염없이 안개 낀 베니스 쪽 바다를 바
라보는 그녀의 모습을 클로즈 업 한다. 그리고 겨우 원숭이 한 마리와
바꾸었다던, 아버지 샤일록과 어머니 레아(Leah)의 사랑의 증표인 터키
석 반지를 제시카가 실은 간직하고 있음을 보여준다. 터키석 반지는
제시카가 사랑을 좇아 아버지를 부정하고 자진해서 기독교로 개종했
지만 여전히 기독교 사회의 이방인, 즉 유대인임을 의미한다. 영화
〈에일리언〉(*Alien*) 시리즈에서 죽여도 죽여도 질기게 살아남던 에일리
언들의 존재를 연상시키는 제시카의 이 마지막 모습은 타자인 샤일록
의 도전을 재산 강탈과 개종과 같은 배제와 강제적 동화의 방법으로

해결하려 했던 베니스 사회의 시도가 실패했음을 보여주는 증거이자 현 서구세계에게 베니스인들과 동일한 오류를 반복하지 말 것을 경고하는 감독의 메시지로 읽힌다.

래드포드의 영화와 인종주의라는 "환상 가로지르기"

지젝은 9.11이 발발한지 얼마 지나지 않아 펴낸 그의 책에서 9.11의 경험을 영화 〈매트릭스〉(*The Matrix* 1999)에서 주인공 네오(Neo)가 겪은 경험에 비유한다. 네오가 모르페우스(Morpheus)의 도움으로 거대한 메가 컴퓨터에 의해 생성되고 조정되는 가상현실에서 실재적인 현실인 세계전쟁 이후 불타버린 폐허의 도시 시카고로 인도되듯이, 9.11은 일상의 이데올로기적 세계에 침잠해있는 서구인들을 깨워 "실재계의 사막"(the desert of the real)으로 인도하는 부름이자 계기란 지적이다.[82] 이렇게 본다면 9.11은 위기이면서 동시에 지난 수백 년 간 우리의 의식을 지배하며 현 자본주의 세계체제를 유지, 정당화하는데 사용되어온 인종주의란, 다시 한 번 지젝의 표현을 빌자면 "환상을 가로지르기"(traversing the fantasy) 기회인 셈이다. 그것은 우리가 샤일록을 거쳐 이슬람 근본주의자들에 이르기까지 타자에 부여해온 인종적 특질들이 실은 우리 사회가 조화롭고 완전하지 않음을 은폐하기 위해 만들어낸

---

82) Žižek, 앞의 책 9-15.

환상에 다름 아님을 깨닫고 우리 사회가 타자들의 존재, 위협 때문이 아니라 이미 분열되어있음을 인정하는 것이며, 9.11의 진정한 해결의 길은 〈매트릭스〉에서 네오가 그랬듯이 "실재계의 사막"에 직면할 때 비로소 찾을 수 있다는 이야기다.

　래드포드의 〈베니스의 상인〉은 셰익스피어의 입을 빌어 바로 이 환상을 가로지르려는 노력을 보여주는 영화다. 영화는 샤일록의 끔찍한 복수가 한편으론 베니스 사회의 억압의 결과란 점에서, 그리고 또 한편으론 베니스 사회의 논리를 그대로 따른 것이라는 점에서 베니스 사회의 산물임을 보여준다. 그리고 이를 통해 우리 시대의 문제역시 '미국의 가치를 이해하지 못하고', '미국인들의 생명과 안전을 위협하는' 타자 때문이 아니라 미국사회, 더 나아가 자본주의체제 내부에 있음을 이야기한다. 우리 시대의 인종문제에 대한 영화의 이런 통찰은 많은 부분 셰익스피어의 극에 빚지고 있으며, 래드포드의 영화는 셰익스피어의 극 『베니스의 상인』이 샤일록과 안토니오의 갈등을 통해 보여주는 인종주의와 자본주의에 대한 통찰의 깊이를 다시금 확인할 수 있도록 해주는 증거이다. 하지만 영화는 동시에 셰익스피어의 극이 그 시대의 산물일 수밖에 없음도 확인시킨다. 셰익스피어의 극이 안토니오의 복권과 포셔와 밧사니오의 결혼을 통해 "부르주아지의 이윤추구와 귀족적인 사회적 책임감의 양립가능성"을 꿈꾸었다면, 영화의 암울한 결말은 그것이 현재 우리에게 더 이상 가능하지 않음을, 아니 애초부터 샤일록을 배제한 채로만 가능한 것이었음을 이야기한다.

제2장

카릴 필립스의『피의 본성』과
자넷 시어스의『할렘 듀엣』
『오셀로』와 21세기 인종문제

우리 시대가 선택한 비극『오셀로』

『오셀로』는 무대 위에서건 비평과 다시쓰기의 현장에서건 셰익스피어 작품 중 언제나 가장 인기가 있었지만, 20세기 말 이후 이 극에 쏟아지고 있는 관심은 유별난 면이 있다. 21세기 초 출간된『오셀로』텍스트와 관련 자료집 편집자들의 언급은 그 인기를 실감케 해준다. 이를테면 해드필드(Andrew Hadfield)는 2003년『오셀로』관련 자료집을 펴내며 이 극보다 "현대의 중요 문제와 더 밀접한 관련성을 지닌 셰익스피어 극을 찾기는 어렵다"고 이야기한다.[83] 행키(Julie Hankey)도

2005년 캠브리지판 서문에서『오셀로』공연사를 정리하며 "지난 20여
년 동안『오셀로』가 우리 시대의 주목받는 극으로 도약했다"고 선언한
다.[84] 한 해 뒤에 출판된 2006년 옥스퍼드판『오셀로』편집자인 닐
(Michael Neill)도 서문에서 이 극이 "현 세대가 선택한 비극"이 되었다
고 평가하며, 우리 시대에『오셀로』가 차지하는 위치를 19세기에『햄
릿』, 20세기 초반『리어왕』이 가졌던 중요성에 비유하기도 한다. 그리
고 19세기 낭만주의 이후 지식인들이 "햄릿의 존재론적 '감옥'"에서 자
신들의 운명을 보았고, 20세기 초 "2차 세계 대전의 홀로코스트와 핵
폭탄의 대참사의 경험"이 "『리어왕』의 황무지"에 주목하게 했다면, 20
세기 후반과 21세기 초 비평가와 작가들은 "『오셀로』의 지중해를 배경
으로 전개되는 문화적, 인종적, 종교적 적대 속에서 우리 시대가 대면
하고 있는 인종적 갈등의 계보학을 추적"하고 있다고 설명을 덧붙인
다.[85]

　　닐의 지적처럼 우리 시대에『오셀로』가 누리는 인기는 20세기 중
반 식민지배 체제의 붕괴 이후 셰익스피어 비평과 연극에서도 포스트
식민주의(postcolonialism)가 주요 담론으로 부상한 것과 밀접한 연관성
을 지닌다. 그런데 여기서 우리의 주목을 끄는 것은『태풍』과『오셀로』

83) Andrew Hadfield, Introduction. *William Shakespeare's "Othello," A Routledge Literary Sourcebook* (London: Routledge, 2003) 1.
84) Julie Hankey, Introduction. *Othello. Shakespeare in Production.* 2nd ed. (Cambridge: Cambridge UP, 2005) 1.
85) Michael Neill, Introduction. *Othello, the Moor of Venice* (Oxford: Oxford UP, 2006) 1.

의 관계다. 잘 알려져 있듯『태풍』과『오셀로』두 극은 셰익스피어의 극 중 식민주의와 인종 문제를 다룬 대표작이며 포스트식민주의 비평가와 감독들에 의해 가장 활발하게 재해석되고 각색된 작품이기도 하다. 그런데 초기 포스트식민주의 비평가와 작가들의 관심이 주로『태풍』에 집중되었다면, 위 평자들의 언급에서 확인 가능하듯이 최근 "학자와 비평가들이 선호하는 논쟁의 장으로서『태풍』의 자리를『오셀로』가 대체하고 있는 중"이다.[86] 그렇다면 이러한 두 극의 흥미로운 비평적 운명의 변전이 지시하는 것은 무엇일까? 왜 "현 세대가 선택한 비극"이『태풍』이 아니라『오셀로』인가? 그리고 이 선택을 낳은 두 극의 차이점은 무엇일까?

포스트식민주의 비평가 카텔리(Thomas Cartelli)는 이 질문에 대해 설득력 있는 답을 들려준다. 그가 두 가지 역사적 배경이 이 변화의 바탕에 있다고 지적한다. 하나는 식민지 국가들의 정치적 독립과 함께 "제 3세계 문화들이 식민주의의 그늘에서 벗어났다"는 것이며, 다른 하나는 제 1세계 사회들 내에서 "내부 식민화의 불평등과 다문화주의의 요청"이 한층 더 긴급한 시대적 쟁점으로 대두했다는 점이다. 그리고 이 시대적 쟁점의 문제를 고민하는 이들에게 왜『오셀로』가 더 적합한 장인가를『태풍』의 캘리번(Caliban)과 오셀로라는 두 인물의 차이를 통해 설명한다. 캘리번이 프로스페로(Prospero)의 "섬나라 왕국에 갇혀, 죽든 살든 운명을 건 싸움을 해야만 하는" 존재라면, 오셀로는 "제

---

86) Thomas Cartelli, *Repositioning Shakespeare* (London: Routledge, 1999) 124.

1세계의 대도시를 자유롭게 움직이며, 특권적 위치에서 도시의 실력자들과 교류하도록 허가" 받았지만 동시에 베니스 사회의 주변부에 존재하는 "이국적 이방인"일 뿐이다. 따라서 프로스페로들의 식민지배 전복을 꿈꾸던 이들에게 캘리번이 대변자 역할을 했다면, 오셀로는 "자신이 만들지 않은, 그리고 자신을 위해 만들어지지 않은 것이 분명한 세계 속에서 여전히 움직이고 있는" 우리 시대 오셀로들의 대변자가 되고 있다는 지적이다.[87]

   그렇다면 우리 시대 『오셀로』가 누리는 인기의 배경에는 20세기 후반 인종 간 혹은 종족 간 갈등 양상의 변화가 자리한다. 카텔리가 "백색의 바다에 둘러싸인 '소수자'"로 묘사하고 있는 우리 시대 오셀로들은 식민주의 역사의 산물이자, 식민지 국가들이 정치적 독립을 이루었지만 식민주의와 인종주의의 극복이 미완의 과제임을 보여주는 존재들이다. 오셀로들의 서구 사회로의 이주는 서구 제국주의 국가들의 식민화와 함께 시작되었으며 16세기 이래 지금까지 500년간 이어져온 자본주의 세계경제의 특징이었다. 왜냐하면 이민은 그 본성상 노동력의 물리적 이동이며 그 점에서 자본주의 세계경제의 사회경제적 토대 중 하나였기 때문이다. 그런데 20세기 후반 이후 이민 현상은 규모뿐 아니라 그 양상에서도 이전과 다른 모습을 보이고 있다. 자본주의를 세계체계란 관점에서 분석하는 월러스틴(Immanuel Wallerstein)은 20세기 후반 이후 "남에서 북으로의 이민"이 이전과는 다른 새로운 단계로

---

87) Cartelli, 같은 글 124.

진입했다고 평가하며, 그 배경으로 수송기술의 발전, 전지구적인 경제적 인구학적 양극화의 심화, 민주적 이데올로기의 전파 세 가지를 들고 있다.[88] 다시 말해 20세기 후반에 오면 신자유주의적 자본주의의 전지구적 지배가 본격화되면서 제 3세계 각지로부터 제 1세계로의 이주가 급증하고 베넷(L. Bennett)이 다소간 도발적으로 "역(逆) 식민화"로 묘사한 제 3세계가 제 1세계 내부로 진입하는 현상이 발생한다.[89] 그 결과 영(Robert J. C. Young)의 표현대로 한편으로 "종족적 관점에서 볼 때 이제 서양과 비서양의 명확한 분할"이 어려워졌지만,[90] 다른 한편으로 제 1세계 각국에서 이민자 집단이 노동자계급의 바닥층을 형성하게 되면서 새로운 문제가 대두된다.

제 1세계 내에 존재하는 이민자 집단은 식민주의의 과거와 현재를 동시에 상기시키는 일상적 존재들이다. 그리고 "자신이 만들지 않은, 그리고 자신을 위해 만들어지지 않은 것이 분명한 세계 속에서 여전히 움직이고"[91] 있다는 점에서 우리 시대의 오셀로들이다. 이들이 당면한 문제는 캘리반들의 그것과 다를 수밖에 없다. 가장 큰 차이는 이들에게는 돌아갈 캘리반의 섬이 없다는 점이다. "흑인 기독교인"으로서 베니스인도 아니고 무어인도 아니면서 동시에 둘 다였던 오셀로

---

88) 이매뉴얼 월러스틴. 백승욱 번역 『우리가 아는 세계의 종언』 (창작과 비평사, 2001) 32.

89) L. Bennett, *Jamaica Labrish* (Kingston: Sangster's, 1966)

90) 로버트 J. C. 영. 김용규 번역 『아래로부터의 포스트식민주의』 (현암사, 2013) 20.

91) Cartelli, 같은 글 124.

처럼, 이민자들과 그들의 후손인 우리 시대 오셀로들은 아프리카에 속한 것도 아니고 서구사회에 속한 것도 아니지만 인종적 소수자이자 제 1세계 시민으로서 제 1세계 내에서 살아가야 하는 존재이다. 따라서 오셀로는 포스트식민주의 이론가들이 포스트식민주체의 특징으로 언급하는 이른바 '혼종성'(hybridity) 또는 '이중 의식'(double consciousness)을 예시(豫示)하는 존재며, 『오셀로』의 인기는 이 극이 우리 시대의 새로운 인종 간 갈등 양상과 인종주의를 고민하는 이들의 주요 전장이 되었음을 보여준다.

카릴 필립스(Caryl Phillips 1958~)의 『피의 본성』(*The Nature of Blood*)[92]과 자넷 시어스(Djanet Sears 1959~)의 『할렘 듀엣』(*Harlem Duet*)[93]은 우리 시대 『오셀로』 전용의 대표적 사례이다. 1997년 같은 해에 각각 소설과 드라마란 형식으로 첫 선을 보인 이 작품들은 포스트식민주의 연구의 부상과 함께 20세기 중반 활발하게 진행된 포스트식민주의적 입장에서 셰익스피어 다시쓰기 작업들의 계보를 잇는 작품들이다. 최경희는 포스트식민주의적 다시쓰기는 지워지거나 억압된 "제 3세계 식민지인의 입장에서 정전을 해체하고 텍스트 속에 '내장되어 있는 가치의 계보를 재배치하고 재구성'하는 전복적이고 대항적인 독서 행위를 지향한다"고 지적한다.[94] 따라서 이들 다시쓰기 작품들은 셰익스피

---

92) Caryl Phillips, *The Nature of Blood* (New York: Vintage, 1997)

93) Djanet Sears, *Harlem Duet. Adaptations of Shakespeare: A Critical Anthology of Plays from the Seventeenth Century to the Present,* eds. Daniel Fischlin and Mark Fortier (London: Routledge, 2000)

어 작품에 대한 재해석을 넘어서며 포스트식민주의 이론의 논쟁들과도 밀접한 관련을 갖는다. 왜냐하면 전복적이고 대항적인 독서행위는 바로 포스트식민시대의 인종 문제에 대한 탐색에서 출발하며, 그런 점에서 셰익스피어 다시쓰기를 통한 즉 문학의 형식을 취한 포스트식민시대 인종과 인종주의에 대한 "창조적 비평"95)이기 때문이다.

『피의 본성』과『할렘 듀엣』은 "창조적 비평"으로서 인종문제의 21세기적 상황과 고민을 잘 보여주는 작품들이다. 필립스와 시어스는 매우 유사한 전기적 배경을 지닌 우리 시대의 오셀로들이다. 필립스는 서인도제도 동부 세인트 키츠섬(St. Kitts) 출신이다. 하지만 생후 12주만에 부모의 품에 안겨 영국으로 이주한 후 북부 공업 도시 리즈(Leeds)의 백인노동자 거주구역에서 성장기를 보냈으며, 1세계 최고 대학 중 하나인 옥스퍼드(Oxford)에서 교육을 받았고 현재는 미국에 거주중이다. 시어스의 삶도 유사한 궤적을 보여준다. 영국에서 출생했지만 어머니는 자메이카(Jamaica) 아버지는 가이아나(Guyana) 출신으로 서인도제도와 끈을 갖고 있다. 필립스처럼 영국에서 청소년기를 보냈으며 현재는 캐나다로 이주해서 작가, 배우, 감독으로 활동 중이다.

---

94) 최경희. 「탈식민적 자아 형성: 『북쪽으로 이주의 계절』, 『지금은 안돼, 사랑스런 데스데모나』를 통해본 셰익스피어의 『오델로』 텍스트의 전유」. *Shakespeare Review* 38.1(2002): 251.

95) Jennifer Flaherty, "*Chronicles Of Our Time*": *Feminism and Postcolonialism in Appropriations of Shakespeare's Plays*. 2011. The University of North Carolina. PhD dissertation. Web. 12 Dec. 2018: 40.

따라서 이들은 흑인 노예의 후손이지만 식민지 독립 이후에 태어나 1세계에서 성장한 흑인 디아스포라 역사를 체현하는 흑인 디아스포라 작가이며, 수많은 수상경력이 증명하듯[96] "제 1세계의 대도시를 자유롭게 움직이며, 특권적 위치에서 도시의 실력자들과 교류하도록 허가받은" 현 시기를 대표하는 포스트식민주의 예술가들이다. 주로 작품을 통해 강제적 혹은 자발적 이주의 산물인 제 1세계 내 오셀로들인 흑인 디아스포라들의 정체성 문제에 천착해왔으며, 『오셀로』 다시쓰기인 이 작품들도 그 탐색 과정의 연장선에 서 있다. 하지만 포스트식민적 주체의 정체성을 구성하는 것이 무엇인가라는 질문에 대해 『피의 본성』과 『할렘 듀엣』이 내놓는 답변은 상이하다. 그것은 당연히 두 작가의 현실인식의 차이를 보여주는 것 일터인데, 흥미로운 것은 그 차이가 현재 포스트식민주의의 쟁점과 그를 둘러싼 논쟁을 지시한다는 점이다. 이를테면 필립스가 포스트식민주의 담론 중 중요한 한 흐름을 형성하고 현재 주류라고도 볼 수 있는 호미 바바(Homi K. Bhabha)에서 폴 길로이(Paul Gilroy)로 이어지는 흐름의 영향을 보여준다면, 시어즈는 이에 대한 비판적 흐름과 친연성을 보인다. 그렇다면 두 작품의 독해는 『오셀로』 다시쓰기로서 이 작품들의 성취를 살피는 일이며,

---

96) 수상경력에 대해서는 필립스의 경우는 공식 웹페이지인 http://www.carylphillips.com/awards.html; 시어스의 경우는 Daniel Fischlin and Mark Fortier. Introduction. *Adaptations of Shakespeare: A Critical Anthology of Plays from the Seventeenth Century to the Present,* eds. Daniel Fischlin and Mark Fortier (London: Routledge, 2000) 285 참조.

또 포스트식민적 주체의 정체성 문제를 둘러싼 우리 시대의 논쟁을 문학작품을 통해 이해하고 평가하는 기회가 될 것이다.

카릴 필립스의 『피의 본성』

필립스의 소설들은 전통적 내러티브에 대한 도전과 과감한 형식 실험으로 유명하다.[97] 『피의 본성』은 그의 소설 중에서도 "가장 복잡하게 구조화된"[98] 쉽지 않은 소설이다. 소설은 시간적·공간적으로 서로 연관성이 없고 이질적인 인물들의 의식을 경유하여 진행되며, 파편적 에피소드들은 총 4개의 내러티브로 모아진다.

첫 번째는 홀로코스트 생존자인 에바 스턴(Eva Stern) 이야기다. 대부분 1인칭 시점으로 전개되는 이 내러티브는 에바가 유대인 강제수용소에서 해방되는 시점에서 시작해서 시간을 거슬러, 안네 프랑크(Anne Frank)의 일기를 연상시키는 어린 시절과 은신 과정, 수용소 수감, 독일 패전 후 자유를 얻었지만 결국 자살에 이르는 비극적 이야기를 비연대기적으로 들려준다. 두 번째는 3인칭 시점으로 작성된 유럽

---

97) 전통적 내러티브에 대한 필립스의 도전과 새로운 형식실험 및 그것이 소설의 주제적 탐색과 갖는 연관관계에 대해서는 Stephen Clingman, "Forms of History and Identity in *The Nature of Blood*," *Salmagundi* 143 (2004): 141-166 참조.

98) Dave Gunning, *Race and Antiracism in Black British and British Asian Literature* (Liverpool: Liverpool UP, 2010) 137.

의 유구한 반유대주의를 보여주는 15세기에 베니스 근처 포르토부폴레(Portobuffole)에서 벌어진 유대인 가족 처형 사건의 기록이며, 세 번째 내러티브가 바로 오셀로 다시쓰기에 해당되는 16세기 베니스를 배경으로 한 흑인 장군 이야기다. 그리고 이 이야기들을 감싸며 소설의 시작과 결말에 등장하는 네 번째 내러티브는 에바의 삼촌이자 시오니스트 활동가인 스테판(Stephan) 이야기다. 스테판 이야기는 2차 세계대전 후 이스라엘 수립을 목전에 둔 시점에서 시작해서, 역시 시간을 거슬러 1930년대 시오니스트 운동 동참 과정을 그린 후 1990년대 현대 이스라엘의 상황으로 마무리된다.

이들 중 특정 내러티브가 일정 시간동안 무대의 중심을 차지하긴 하지만 각 내러티브가 순차적으로 등장하지는 않는다. 장의 구분이 없을 뿐더러 하나의 이야기에서 다른 이야기로 어떤 설명이나 연결고리 없이 이동하며, 여기에 게토 등에 대한 사전적 설명과 에바를 담당한 의사의 기록 등과 같은 상이한 형식의 이야기 조각들도 섞여 든다. 따라서 각 내러티브들은 완결적이지 않으며, 다른 내러티브와 이야기 조각들과, 그리고 역사적 사건과 유명 문학작품에 대한 인유를 통해 작품 밖의 세계와도 서로 조응하고 공명한다.

따라서 레던트(Benedicte Ledent)의 표현에 따르면 "미로와 같은 텍스트"[99]인 이 소설에서 독자들이 길을 잃지 않고, 이질적인 여러 인물과 이야기 가닥들이 서로 어떻게 연결되며 또 구별되는지, 그리고 상

---

99) Benedicte Ledent, *Caryl Phillips* (Manchester: Manchester UP, 2002) 136.

호 조응과 공명을 통해 어떤 의미를 만들어내는지 파악하기는 결코 쉽지 않다. 이것은 여러 겹의 내러티브 중 하나인 오셀로 다시쓰기의 경우에도 마찬가지이다. 이 소설에서 오셀로적인 인물과 그 이야기의 역할을 이해하는 것은 결코 단순하지 않은데, 그 어려움은 흑인 장군 이야기를 제외하고 이 소설의 주요 내러티브들이 모두 유대인 이야기 라는 점에서 배가된다. 그런데 바로 홀로코스트로 대표되는 유대인의 고통의 역사와 흑인 디아스포라 이야기의 병치는 이 소설의 가장 주 된 특징이자 『오셀로』의 차용적 전유로서 이 소설이 원작과 가장 달 라지는 지점이기도 하다. 따라서 이는 21세기 인종적 상황에 대한 필 립스의 탐색을 이해하는 핵심 고리라고 할 수 있는데, 그 문제를 다루 기에 앞서 우선 필립스가 그린 오셀로로부터 이야기를 시작해보는 것 이 좋겠다.

오셀로, 인종주의적 시선의 대상에서 시선의 주체로

소설 중반부에 와서야 등장하는 오셀로 내러티브는 표면적으로만 보면 원작의 요약이라고 느껴질 정도로 셰익스피어 극의 상황과 줄거 리를 그대로 따르고 있다. 배경은 16세기 투르크(Turk)와 전쟁을 앞둔 베니스이고, 이름이 등장하지는 않지만 내러티브의 화자는 베니스가 고용한 외국인 용병 흑인 장군이다. 이야기는 셰익스피어의 극처럼 흑 인 장군과 데스데모나(Desdemona)가 혼례를 치르고 같이 밤을 보낸 후 시작해서, 데스데모나와의 만남과 구애, 비밀 결혼 그리고 사이프로스 (Cyprus)에 도착하는 대목까지를 오셀로의 회상을 통해 들려준다. 원작과 비교해 달라진 것은 오셀로의 시점(視點)에서 이야기가 진행되는 것이며 이는 큰 차이를 만들어낸다.

여러 평자들이 지적하듯이 우리는 셰익스피어 극에서 오셀로를 이아고(Iago)와 로더리고(Roderigo)의 간접적 재현을 통해 처음 만난다. 무대에 모습을 드러내기 전부터 명성이 자자한 장군이자 "나이든 검은 숫양"(an old black ram 1.1.88), "바바리 말"(a Barbary horse 1.1.111), "음탕한 무어인"(a lascivious Moor 1.1.125)으로 규정되는 오셀로는 셰익스피어 극에서 베니스 사회의 인종주의적 시선 아래 놓인 대상이다.[100] 이는 오셀로가 다른 비극의 주인공들과 달리 좀처럼 관객에게 직접 이야기를 건네는 법이 없다는 점에서 강화된다. 극은 왜 오셀로가 기독교인이 되었고 또 데스데모나와 결혼하려는 지를 알려주지 않으며 그의 내면은 공백상태에 머물러 있다. 필립스는 여행기이자 유럽의 "부족주의"(tribalism)에 대한 탐색인 『유럽의 부족』(The European Tribe)에서 "전 서구세계를 지배하는 르네상스기의 뉴욕"이었던 "이 놀라운 도시(베니스)에서 오셀로는 어떻게 살았을까?"라고 질문하며 셰익스피어의 극에 대해 불만을 표한다. 따라서 필립스의 『오셀로』 다시쓰기는 바로 원작에서 공백으로 남아있는 "오셀로의 심리적 번민의 진정한 본질"을

---

100) 『오셀로』의 텍스트는 William Shakespeare, Othello, the Moor of Venice, ed. Michael Neill (Oxford: Oxford UP, 2006)

복원하려는 시도다.101)

『피의 본성』에서 오셀로 내러티브는 화자인 오셀로가 아직 깊은 잠에 빠져 있는 데스데모나를 바라보며 처음 도시에 도착했던 순간부터 결혼에 이르기까지의 일들을 회상하는 형식을 취한다. 따라서 소설은 셰익스피어 이야기의 일종의 전사(前事)에 해당하며, 문화적 인종적 이방인인 오셀로가 1세계 대도시에서 느낀 매혹과 의심, 그리고 불안의 기록이다. 오셀로의 눈에 비친 베니스는 빛나는 문명을 지닌 곳이다. "수로를 따라 줄줄이 늘어선 웅장한 건물들"(107)과 이들을 장식하고 있는 "위풍당당한 베니스의 사자상(獅子象)"(107)에 감탄하며, 오셀로는 "세상의 끝에서 중심으로"(107) 나와, 빛나는 "이 국가에 봉사하도록 부름 받았다"(107)는 것에 자부심을 느낀다. 그리고 베니스 사회의 일부가 되고자, 그래서 "제국의 가장 중심부에 서기를"(107) 갈망하며 그들의 언어를 배우고 풍습을 익힌다.

소설은 동시에 오셀로가 느끼는 불안과 외로움도 실감나게 전해준다. 첫 장면은 그의 불안을 잘 보여준다. 오셀로는 사랑하는 여인의 잠든 모습을 보며, 이방인과의 결혼으로 "삶에서 안정적 지위"(106)를 잃고 곤경에 처한 데스데모나를 안쓰러워하며 베니스 여성답지 않은 그녀의 순결과 명예에 찬탄을 표한다. 그러면서 동시에 "이 여인이 혹시 장난삼아 벌인 일은 아닌지"(106), "나에 대해 모종의 계략을 꾸미고 있는 것은 아닌지"(106)를 의심하고 불안해한다. 가장 행복한 순간에

---

101) Caryl Phillips, *The European Tribe* (Boston: Faber & Faber, 1987) 45.

찾아든 "두려움과 불안감"(117)은 오셀로가 이 멋진 도시의 이방인에 불과하다는 점에서 비롯된다. 베니스 사회에 동화되고자 하는 갈망이 클수록 불안도 커진다. 버려진 수도원에서 갑작스럽게 내리는 빗줄기에 몸을 피한 채 안개에 휩싸인 도시를 내다보며 오셀로는 친구하나 없이 고립된 자신의 처지를 돌아보며 유일한 버팀목인 "전장에서의 나의 명성"이라고 하는 것이 과연 "나의 타고난 외모가 불러일으킬 적의"를 버텨낼 수 있을지를 의심한다(118).

앞서 지적한대로 셰익스피어 극에서 오셀로가 베니스인들의 인종주의적 시선의 대상이었다면 소설에서는 그 위치가 역전된다. 오셀로는 베니스와 그들의 관습을 지켜보는 시선의 주체이며 소설은 이방인의 시선을 통해 베니스의 "현란한 외양"(109)과 그 아래 숨겨진 추한 실상의 괴리를 고발한다. 칼비(Maurizio Calbi)의 지적처럼 이방인의 시선 아래 드러난 베니스는 "피의 오염에 대한 두려움"이 지배하는 곳이다.102) 베니스는 세계 각지의 이방인들이 모여살고 표면적으로는 문화의 차이가 용인되는 듯하지만, 실상은 "자신들의 전통이 다른 어떤 것보다 우월하다"고 확신하는 곳이며(119-120), "혈통의 순수성을 유지하기 위해서" 결혼 절차는 까다롭게 유지한 채 매춘을 허용하고 심지어 권장까지 하는 곳이다(112).

---

102) Maurizio Calbi, "The Ghost of Strangers: Hospitality, Identity, and Temporality in Caryl Phillips's *The Nature of Blood*," *Journal for Early Modern Cultural Studies* 6.2 (2006): 45.

오셀로의 유대인 게토 방문은 이 통찰이 가장 깊어지는 순간이다. 필립스는 셰익스피어 극에는 없는 이 장면을 오셀로와 데스데모나가 서로 사랑을 확인하는 에피소드 직전에 배치해서 오셀로가 중요한 선택의 기로에 섰음을 보여준다. 유대인 게토는 바로 "혈통의 순수성을 유지"하려는 베니스 사회의 집착을 보여주는 상징적 존재이며 필립스는 『유럽의 부족』에서 베니스의 게토가 이후 "전 세계 모든 게토의 모델"이라고 주장한다.103) 유대인들은 베니스 사회에 편입된 타자지만 소설은 그들이 "베니스 제국 중심부에서 거주하고 거래하기 위해서 값비싼 대가를 치르고"(129) 있음을 보여준다. 그리고 분노한 유대인의 목소리를 빌어 게토가 유대인 보호를 명분으로 내세우지만 "무방비상태로 하나의 우리에 짐승처럼 떼로 몰아넣고 가두어서"(129) 오히려 더 손쉬운 대중적 분노의 표적으로 삼는 것은 아닌지를 묻는다. 이방인이지만 베니스인으로 살고자 하는 오셀로의 동화 노력의 결말을 보여주는 것만 같은 게토의 어둡고 더럽고 좁은 골목을 헤매면서 오셀로는 극심한 공포를 느낀다. 하지만 두려운 진실을 대면하는 대신 오셀로는 게토를 도망치듯 빠져나온다. 그리고 데스데모나의 편지를 받고 그녀를 만나러 간다(131).

시처(Efraim Sicher)와 와인하우스(Linda Weinhouse)가 지적하듯이 소설은 무엇보다도 베니스 사회에 동화되려는 오셀로의 갈망과 노력을 강조하며, 오셀로 내러티브는 마침내 그 노력이 결실을 맺어 편입

---

103) Phillips, 같은 책 52.

이 완료되었다고 믿는 순간 종료된다.104) 오셀로는 "베니스의 가장 아름다운 보물"(128)인 데스데모나를 아내로 맞이하고, 때마침 시작된 투르크 침공으로 베니스를 지키는 장군으로 사이프러스로 출격한다. 그리고 내러티브는 투르크의 위험이 사라진 사이프러스에서 아내 데스데모나를 품에 안고 침대에 누워서 새로운 고향 베니스로 돌아갈 날을 꿈꾸는 오셀로의 희망에 찬 모습으로 마무리된다.

> 나의 아내가 미소 짓는다. 나는 팔을 뻗어 이 충실한 보석을 내 가슴에 꼭 끌어안는다 . . . 그리고 나서 사이프러스에서 내 임무가 순조롭게 마무리되면 우리는 고향 베니스로 돌아가 그 눈부신 도시 국가에서 우리의 새로운 삶을 평화롭게 시작할 것이다. 그녀가 내 이름을 속삭인다. 다시 한 번 내 이름을. (173)

오셀로 내러티브가 이렇듯 비극이 아닌 희극으로 마무리 되면서 셰익스피어 극에서 오셀로와 데스데모나의 결혼이 폭력과 파멸에 이르는, 어찌 보면 셰익스피어 극의 핵심이라고 할 수 있는 이야기는 의도적으로 생략된다. 그러면서 동시에 필립스는 오셀로의 비극을 연상시키는 목소리를 오셀로 내러티브와 거리를 두고 오셀로 내러티브와는 다른 형식의 이야기 조각으로 삽입한다. 다음은 이 목소리가 표현

---

104) Efraim Sicher and Linda Weinhouse, *Under Postcolonial Eyes: Figuring the "jew" in Contemporary British Writing* (Lincoln: U of Nebraska P, 2012)

된 두 단락 중 한 단락이다.

그녀를 그림자처럼 따라다니며, 그녀의 변덕을 다 들어주고 있구나. 흑
인 엉클 탐처럼 말이야. 백인을 위해 백인의 전쟁을 하는 자. 베니스 군
대의 와이드 리시버. 트럼펫처럼 칼을 높이 들고 싱글거리는 공화국의
새치모(미국의 흑인 가수 루이 암스트롱의 애칭-필자). 견장달린 군복아
래 검은 피부를 감추고 있지. 그들의 말투를 빌리고(제 말투가 저속하지
요) 그들의 예의범절을 모방하며, 곱슬머리로 그들의 방식을 배우기 위
해 조바심을 내지. 그러면서 편리하게도 너의 가족은 잊고, 아내와 아들
은 고귀한 정신의 저 뒤편에 처박아 두었구나. 오 강한 남자여, 오 강한
전사여, 오 용감한 군인이여, 오 약한 남자여. 너는 길을 잃었다. 슬픈
검은 남자여. 소위 성공한 흑인들의 긴 줄 제일 앞에 선 자여. . . . 가서
그녀의 석고 조각 같은 흰 피부를 들여다보아라. 그녀의 음탕한 침대에
서 맘껏 기쁨을 누려라. 그런데 만약 그녀도 길을 잃고, 손수건을 쓴 네
머리 주변에 진짜 폭풍우가 몰아친다면, 너는 누구에게 의지할까? 나의
친구여. 요루바족의 속담에 이런 이야기가 있지. 원천을 모르는 강은 말
라버린다. 이를 기억하는 것이 좋을 거야. (180-181)

마치 오셀로 내러티브의 마지막 장면을 지켜보며 내뱉는듯한 이
목소리는 데스데모나의 남편이자 베니스를 지키는 흑인 장군으로서
장밋빛 미래를 꿈꾸는 오셀로를 거친 목소리로 조롱한다. "검은 피부
를 치욕스럽게 숨기고, 과거와 언어, 가족을 외면해서, 그 결과 자신의
뿌리를 망각하는"105) 오셀로는 바로 파농(Frantz Fanon)이 이야기하는
'하얀 가면'을 쓴 "슬픈 검은 남자"에 불과하다고 일깨운다. 그리고 돌

아갈 고향이 있다면 그곳은 베니스가 아니라 그의 원래 가족, 즉 그의 첫 아내와 아들이 살고 있는 진짜 고향이라고 단호한 어조로 주장한다. 그리고 외친다. "형제여, 그녀의 침대에서 뛰쳐나와 집으로 도망가게"(183).

여러 평자들이 지적하듯이 이 목소리는 『유럽의 부족』에서 오셀로에 대한 필립스의 냉소적 평가를 연상시킨다. 필립스는 「흑인 유럽인의 성공사례」라는 제목의 장에서, "성공한 흑인 유럽인 중 가장 유명인인" 오셀로의 비극은 "바로 승리의 순간"인 결혼과 함께 시작되며, 그 이유는 자신이 흑인임을 망각하기 시작했기 때문이라고 주장한다.[106]

이 목소리는 인종적 자부심과 뿌리의 중요성을 강조한다는 점에서 흑인운동의 중요한 한 흐름인 블랙 파워 운동(Black Power Movement)의 주장을 연상시킨다. 그런데 이 목소리가 누구의 목소리인지 그리고 소설이 어느 정도까지 이 목소리에 동의하는지는 이 소설의 쟁점 중 하나이며 평자들 사이에 논쟁의 대상이었다. 다양한 해석이 있지만 대부분의 학자들이 동의하는 것은 소설의 최종적 목소리로 읽기는 어렵다는 점이다. 이를테면 도슨(Ashley Dawson)은 소설이 내러티브의 종결을 유보하면서 "화자의 환멸어린 관점과 여전히 희망을 품고 있는 오셀로의 전망 간의 대립을 해소하지 않고 있다"고 이야기한다.[107] 칼비 역

---

105) Calbi, 앞의 글 49.
106) Phillips, *The European Tribe* 45-51.

시 이 목소리가 여러 목소리 중 하나일 뿐이며 "이방인(오셀로)의 다층적 경험은 물론 텍스트가 보여주는 여러 이방인들 간의 복잡한 연관성"을 담아내지는 못한다고 지적한다.[108] 그렇다면 필립스는 왜 오셀로 내러티브의 마무리 짓기를 유보하는 것일까? 소설이 오셀로의 희망과 "화자의 환멸어린 관점"을 대비하면서 하고자 하는 이야기는 무엇이며 이것이 『오셀로』 다시쓰기를 통한 21세기 인종적 상황에 대한 필립스의 탐색과는 어떻게 연관되는가?

다문화 주체의 이상과 오셀로

이 질문에 대한 답은 오셀로 이야기와 유대인 이야기의 병치에서 찾을 수 있다고 생각된다. 앞서 지적한대로 이는 『오셀로』의 차용적 전유로서 이 소설이 원작과 가장 달라지는 지점이자 또 이 소설이 발표된 후 거센 논란을 불러일으킨 이유이기도 했다. 흑인 디아스포라라는 역사적 정체성을 천착해온 흑인 작가가 왜 홀로코스트에 관심을 갖는 것일까. 왜 유대인인가?

필립스가 유대인 디아스포라로 관점을 넓히고 이를 흑인의 역사

---

107) Ashley Dawson, "'To Remember Too Much is Indeed a Form of Madness': Caryl Phillips's *The Nature of Blood* and the Modalities of European Racism," *Postcolonial Studies* 7.1 (2004): 97.

108) Calbi, 앞의 글 49.

와 함께 이해하기 시작한 것은 1989년 출판된 『저 높은 곳을 향하여』(*Higher Ground*)부터이다. 보통 필립스가 흑인 문제와 유대인 문제를 연결시키는 이유에 대해, 평자들은 파농과 아렌트(Hannah Arendt), 그리고 길로이 등 이론가들을 근거삼아 인종주의와 반유대주의가 "동일한 신학적 철학적 인식론"에 기초하고 있음을 지적한다.[109] 그리고 여기에 흑인 노예제와 아프리카 식민화에 대한 담론이 부재했던 어린 시절에 유럽 내 소수자로서 "나의 상처와 좌절을 유대인의 경험을 통해" 이해할 수 있었다는 필립스의 개인적 경험이 보충 인용된다.[110] 유대인들이 피의 순수성을 유지하려는 유럽 부족주의의 가장 큰 희생자이며 홀로코스트가 소수자들의 고통을 이해하는 기준이라는 지적인데, 이 설명만으로는 필립스의 인종문제에 대한 탐색과 그 내에서 유대인이 차지하는 의미가 충분히 해명되지 않는다고 생각된다. 이는 이 소설이 반유대주의의 참혹함을 보여주는 에바의 내러티브와 유대인 가족이야기를 시오니스트 스테판 이야기로 감싸고 있다는 점에서 확인 가능하다.

스테판 내러티브는 "수 백 년 동안 다른 이들과 함께 하기 위해 애썼던"(45) 유대인들이 고향 이스라엘을 향해 몰려드는 모습을 그린다. 홀로코스트를 겪은 이들의 고향을 향한 갈망이 정당성을 지님을 부인하기는 참 어려운데, 필립스는 이 움직임을 공감보다는 우려 섞인

---

109) Sicher and Weinhouse, 앞의 책 124.
110) Phillips, *The European Tribe* 54.

시선으로 그린다. 이를 가장 잘 보여주는 것은 말카(Malka)의 에피소드다. 에티오피아(Ethiopia) 출신 흑인 유대인 소녀인 말카에게 귀향은 상당히 미심쩍은 것이다. 말카가 이스라엘로 이주하는 과정은 에바가 나치수용소로 끌려가는 과정과 매우 유사하게 묘사된다. 말카는 자신이 어떻게 "짐승처럼 떼로 버스에 태워진" 후 이스라엘 대사관 터에 "여윈 소떼처럼 수용"되었는지 이야기하며, 또 많은 이들이 이동 중에 사망했음도 밝힌다(199). 그리고 말카가 도착한 고향은 그가 꿈꾸던 "시온"(Zion)과는 거리가 먼 곳이다(201). 도시외곽의 빈민가에서 피부색과 언어, 문화가 다른 이들에 둘러싸여 고립된 삶을 영위하고 있는 말카 가족의 모습(207-208)은 흡사 베니스 사회에서 오셀로의 모습을 연상시킨다. 에디오피아에서 유대인이라는 이유로 종교적 게토에 갇혀있었다면 이들은 고향을 찾아왔지만 아프리카인이라는 이유로 다시 한 번 피부색의 게토에 갇힌다.

여러 평자들의 지적처럼 게토를 벗어나려는 노력이 또 다른 게토를 세우는 모습은 혈통, 땅, 언어에 뿌리를 둔 종족 중심적 태도에 대한 필립스의 우려를 표현한다. 칼비는 이 에피소드가 "소속되기 위해 추방을 포기하는 것의 위험"을 환기하며 "나의 소속감"이 타자들의 타자화로 이어질 수밖에 없음을 보여준다고 지적하며,[111] 레딘트 역시 "인종주의의 희생자들이 인종주의자로 변모하는 모습을 통해" 소설은 "배제의 유일한 해결책"은 "끊임없이 움직이는 것임"을 암시한다고 주

---

111) Calbi, 앞의 글 49-50.

장한다.[112]

　필립스의 우려에는 지난 500년간의 이주의 역사가 만들어낸 21세기 인종적 상황에 대한 인식이 반영되어있다. 필립스는 한 인터뷰에서 자신의 고향을 서아프리카와 미 대륙, 유럽을 잇는 삼각형의 중심인 "대서양 한가운데"라고 밝힌다.[113] 아프리카 노예들의 역사적 궤적이자 필립스 개인의 이동의 역사이기도 한 이 삼각형의 중심인 "대서양 한 가운데"는 클링먼(Stephen Clingman)의 지적처럼 돌아갈 진정한 기원이 없는 장소이며, 이주의 산물인 필립스와 같은 우리 시대 혼종적 존재들의 삶의 조건을 상징하는 장소다.[114] 필립스는 "오늘날 우리는 모두 닻을 올리고 떠돌고" 있다고 지적하며,[115] 이런 혼종적 존재에게 가능한 것은 혼종성을 수용하고 인종, 문화, 국가와 같은 오래된 경계들을 넘어서 계속해서 나아가는 것뿐이라고 이야기한다.[116] 그리고 필립스는 "하나의 신체 안에 상이한 세계들을 종합할 수 있고 이 상이한 세계들과 편안하게 살아갈 수 있는 사람들"인 "다문화적 개인들만이 진정한 다문화적 사회를 이루기 위한 조건"이라고 밝힌다.[117]

　여기서 다시 오셀로 이야기로 돌아가 보자. 필립스가 오셀로와

---

112) Ledent, 앞의 책 140.
113) Stephen Clingman, "Other Voices: An Interview with Caryl Phillips," *Salmagundi* 143 (2004): 116.
114) Clingman, "Forms of History" 145.
115) Caryl Phillips, *A New World Order* (London: Secker, 2001) 6-7.
116) Clingman, "Other Voices" 135-136.
117) Phillips, *A New World Order* 279.

데스데모나의 결혼을 파국으로 마무리 짓지 않고 희망을 남기는 이유는 바로 오셀로의 선택에서 다문화적 개인의 가능성을 보기 때문이다. 오셀로가 데스데모나에게 청혼하기에 앞서 망설이는 장면은 필립스의 이 의도를 잘 보여주는 장면이다(137). 소설은 그 대목을 다음처럼 묘사한다.

> 이 숙녀에게 구애하는 것은 내 삶의 구조물의 토대 자체를 진정으로 위태롭게 하는 일이었다. 하지만 안전하게 독신 군인으로 남아 내 삶 너머의 세계에 대해 배우지 않는 것은 분명 겁쟁이 같은 짓이었다. **나는 거울을 버리고 문을 향해 나아갔다.** (144. 강조는 필자)

여기서 오셀로의 구애를 백인이 되고 싶은 흑인 엉클 톰의 유약한 동화 노력이라고만 보기는 어렵다. 셰익스피어 극에서 오셀로와 데스데모나의 사랑이 인종을 넘어선 영웅적 사랑이기도 하다면, 이 대목에서의 오셀로도 바로 사회적 규범에 도전하는 자신의 운명의 주인이며 낯선 백인들의 도시에서 자신의 삶을 개척해가는 자율적 주체이다. "거울"이 안전하고 닫힌 현재만을 반영한다면 오셀로는 그를 버리고 "내 삶 너머의 세계"로 인도하는 문을 향해 나아가며, 필립스는 안정적인 정체성을 버리고 혼종성, 즉 문화와 문화 간의 화합의 길로 나아가는 다문화적 주체 오셀로의 선택에 박수를 보낸다.

자넷 시어스의 『할렘 듀엣』

　시어스가 『할렘 듀엣』을 책으로 펴내며 붙인 서문 「유색인 소녀의 소고: 내가 극을 쓰는 32가지 이유」("nOTES oF a cOLOURED gIRL: 32 sHORT rEASONS wHY I wRITE fOR tHE tHeatre")은 흑인 캐나다 여성작가로서 포부가 담긴 작가적 매니페스토라고 할 수 있다.[118] 32개의 짧은 단락들로 구성된 이 글에서 시어스는 자신의 꿈을 "나와 나의 가족, 친구, 공동체에 대해 이야기하는, 나와 같이 생긴 사람들만으로 꾸며진 극"을 발견하는 것이라고 밝힌다. 그리고 의도적으로 대문자를 소문자로, 소문자를 대문자로 바꾸어 쓰면서 자신의 이 시도는 바로 지금까지와는 다른 방식으로, 여성과 흑인의 입장에서 세상을 뒤집어 보는 일임을 암시한다.

　『할렘 듀엣』은 바로 그녀의 이 오랜 꿈을 현실화한 작품이며, 시어즈가 이를 위해 취한 전략은 오셀로에게 '과거'를 돌려주는 것이다. 셰익스피어 극에서 오셀로는 과거가 없는 남자이다. 오셀로의 가족에 대한 언급은 물론 "흑인 친구가 있고, 아프리카 음식을 먹고, 그들의 말(베니스언어)외에 다른 말을 한다는 어떤 증거도"[119] 찾을 수 없다. 그 한 가지 이유는 셰익스피어 극의 초점이 "흑인 기독교인"인 "백인

---

118) Djanet Sears, "nOTES oF a cOLOURED gIRL: 32 sHORT rEASONS wHY I wRITE fOR tHE tHEATRE" *Harlem Duet*. 5th ed. (Toronto: Scirocco, 2008) 11-16. Web. 12 Dec. 2018.

119) Phillips, *The European Tribe* 49.

문화 속 오셀로의 이방인성" 탐구에 있기 때문이며,[120] 이는 필립스도 마찬가지이다. 앞서 지적했듯이 필립스는 『피의 본성』에서 오셀로를 시선의 주체로 세우는 동시에 오셀로가 고향에 두고 온 흑인 아내와 아들을 언급하며 그의 과거를 암시한다. 하지만 이들은 1인칭 화자인 오셀로의 명상으로만 등장하며 초점은 여전히 오셀로의 이방인성에 두어진다.

『할렘 듀엣』이 이들과 가장 크게 달라지는 지점은 오셀로를 흑인 공동체에 소속된 존재로 만든다는 점이다. 시어즈는 셰익스피어 극에서는 공백으로, 그리고 필립스의 소설에서는 오셀로의 명상 속에서만 존재하던 흑인 아내와 그녀의 흑인 가족, 흑인 친구들을 등장인물로 창조해 극의 전면에 세운다. 그리고 오셀로와 데스데모나의 사랑과 결혼이야기를 오셀로가 흑인 아내를 버리는 배신이야기로 다시 쓴다. 그결과 오셀로의 선택은 백인 문화 속에 살고 있지만 동시에 흑인 공동체에 속한 존재의 선택이 되며 극은 이 변형을 통해 셰익스피어 극의 핵심적 사건인 오셀로와 데스데모나의 사랑을 흑인 공동체의 관점에서 평가할 것을 요구한다. 따라서 『할렘 듀엣』은 시어즈가 꿈꾸던 흑인에 의한 흑인성의 구현을 시도하는 작품이면서 피쉴린(Daniel Fischlin)과 포티에(Mark Fortier)의 지적처럼 셰익스피어가 오셀로 이야기를 통해 천착하는 "포함과 배제"의 논리가 흑인 공동체에 속한 사람에게 작동하는 방식을 주제화한다.[121]

---

120) Fischlin and Fortier, 앞의 글 286.

오셀로들의 배신 이야기

극은 오셀로의 배신 이야기를 세 개의 다른 시간적 배경 속에서 되풀이해서 보여준다. 첫 번째 내러티브가 1860년 미국 남북전쟁 발발 직전 시기를 배경으로 한 두 노예의 이야기라면 두 번째 내러티브의 주인공은 1928년 할렘 르네상스시기 두 흑인 배우이며, 마지막이자 극의 중심 줄거리인 세 번째 내러티브는 20세기 말 현재를 배경으로 두 중산층 지식인 흑인 부부의 파경을 그린다. 다른 시간대에 위치하지만 내러티브의 주인공들에게 매번 동일한 위기가 되풀이된다. 번번이 오셀로에 해당하는 흑인 남성은 흑인 아내를 버리고 백인 여성을 택하며, 세 개의 내러티브에서 인종과 남녀 관계의 갈등은 시기에 따라 다른 형태를 취하긴 하지만 모두 폭력으로 마무리된다.

시간적 배경은 다르지만 공간은 뉴욕의 할렘으로 통일되며 시어즈는 한 인터뷰에서 그 이유를 할렘이 "흑인과 관련된 모든 것의 최상과 최악이 존재하고 존재했던 곳" "흑인의 정신세계"이자, 미국이면서 "꼭 미국만은 아닌, 또 다른 나라"라는 점에서 찾는다.[122] 시어즈의 답은 오셀로의 선택을 평가하는 흑인 공동체의 성격을 보여준다는 점에서 흥미롭다. 이들은 캘리반과 필립스 소설의 아내와 아들처럼 제 3세계에 거주하지 않는다. 모두 오셀로와 마찬가지로 고향을 떠나와 백인

---

121) Fischlin and Fortier, 같은 글 286.
122) Djanet Sears, Interview with Mat Buntin. Canadian Adaptations of Shakespeare Project. Web. 12 Dec. 2018.

사회에 살고 있고 또 살아남아야 하는 존재들이다. 그리고 극은 오셀로와 흑인 아내의 갈등을 통해 "아메리카의 소웨토"(the Soweto of America),[123] 즉 미국이면서 또 다른 나라이기도 한 흑인 공동체가 백인 사회의 인종적 타자로서 백인사회와 관계 맺는 두 가지 상반된 태도를 보여준다.

오셀로와 흑인 아내의 입장 차이가 가장 분명하게 드러나는 것은 20세기 말 현재를 배경으로 한 세 번째 내러티브이다. 인류학 박사이자 유명 콜롬비아(Columbia)대학 교수인 오셀로는 셰익스피어 극에서처럼 "제 1세계의 대도시를 자유롭게 움직이며, 특권적 위치에서 도시의 실력자들과 교류하도록 허가"받은 존재이다. 흑인 아내인 빌리(Billie)는 심리학 전공 대학원생이며 9년간 오셀로 학업을 뒷바라지 하다가 이제 막 대학원 공부를 시작한 상태이다. 오셀로는 자신을 위해 헌신한 조강지처 빌리를 버리고 동료 교수인 백인 여성 모나(Mona)를 택하며, 이야기는 오셀로가 대학 해외 프로그램 관리자 직을 맡아 사이프러스로 떠나기에 앞서 빌리의 아파트를 방문하면서 시작된다. 비좁은 아파트에서 오셀로와 빌리는 오래된 짐을 정리하면서 지난 9년의 역사를 돌아보고 또 지난 9년의 역사를 등지고 떠나는 오셀로의 선택에 대해 이야기를 나눈다. 그리고 극은 이들이 부르는 이 할렘의 듀엣을 통해 흑인성에 대한 흑인 내부의 상반된 시선과 갈등을 극화한다.

오셀로는 흑인 공동체보다는 개인적 성공을 중시하는 "소위 성공

---

123) Sears, 같은 글.

한 흑인들의 긴 줄"에 선 인물이다. 그는 "내 일을 잘 해낼 수 있다는 것을 매일 그들에게 입증"(299)하기 위해, 그래서 흑인에 대한 그들의 편견이 옳지 않다는 점을 보여주기 위해 늘 노심초사 애쓰고 있음을 토로한다. 빌리의 아파트 집주인 마기(Magi)가 조롱하듯, 그는 교육을 통한 흑인의 성장과 흑백통합을 꿈꾸던 부커 T. 워싱턴(Booker T. Washington)의 후예 "부커 T. 어퍼미들클래스 3세"(Booker T. Uppermiddleclass III, 66)이며, 극은 오셀로를 통해 부커 T. 워싱턴에서 마틴 루터 킹(Martin Luther King)으로 이어지는 미국 흑인계의 한 흐름을 담아낸다.

다른 한편 빌리는 또 다른 흐름인 마커스 가비(Marcus Garvey)에서 말콤 X(Malcolm X)로 이어지는 흑백 분리주의를 대변한다. 빌리는 "우리가 무얼 하든 우리는 흑인"(300)임을 주장하며 "흑인자치구역/보호구역"(300)이자 "미국의 아프리카촌"(300) 할렘에서 흑인들만의 공동체를 꿈꾼다. 극은 대립을 강조하기 위해 빌리와 오셀로의 아파트를 마틴 루터 킹 대로와 말콤 X 대로의 교차점에 위치시키는 한편, 독립선언서 (Declaration of Independence)부터 마이클 잭슨(Michael Jackson)과 그의 백인 아내 리사 마리 프레슬리(Lisa Marie Presley)의 인터뷰에 이르기까지 미국 흑인사를 보여주는 다양한 오디오 자료를 배경으로 삽입해서 "빌리와 오셀로의 논쟁 영역을 사적 차원에서 공적 차원으로 확장시킨다".124)

---

124) Margaret Jane Kidnie, *Shakespeare and the Problem of Adaptation* (New York: Routledge, 2009) 80.

그런데 빌리와 오셀로가 보여주는 이 오래된 갈등은 오셀로가 자신의 선택을 옹호하기 위해 인종 범주 자체를 부정하면서 우리 시대의 새로운 인종 간 갈등 양상과 공명하며 현재성을 획득한다. 오셀로의 주장은 시대가 변했다는 판단에서 출발한다. 그는 과거에 자신이 소수자였을지 모르지만 "이제 이 인종 같은 거짓말 헛소리는 정신적으로 넘어섰으며" "나는 미국인이다"고 외친다(305).

흑백 통합과 흑백 분리를 넘어

키드니(Margaret Jane Kidnie)의 지적처럼 오셀로의 주장은 최근 포스트식민주의 이론에서 본질주의적 인종관에 대한 비판을 연상시킨다.[125] 디아스포라 이론의 대표적 학자인 폴 길로이(Paul Gilroy)는 『인종에 맞서기: 피부색에 의한 차별을 넘어선 정치문화』(*Against Race: Imagining Political Culture beyond the Color Line*)에서 세계시장이 지배하는 우리 시대에 근대적 구성물인 인종이라는 개념은 더 이상 적절치 않다는 논쟁적 주장을 펼친다. 신자유주의적 자본주의의 "장소에 구애받지 않는 발전"의 결과 "한때 분명하던 백인과 유색인을 구분하는 경계"가 모호해졌으며, 이와 같은 상황에서 유일하게 적절한 대응은 "인종화하며 인종학적인 모든 사고, 인종차별적 시각과 사고법으로부터

---

125) Kidnie, 앞의 책 80.

해방되는 것"이라고 주장한다.[126]

오셀로도 이와 유사한 방식으로 인종에 반대한다. 그는 자신을 규정하는 것은 "본 적도 없고 볼 일도 없는" 아프리카가 아니라 바로 "워스워스(William Wordsworth)와 쇼(G. B. Shaw), 『비버에게 맡겨』(Leave It to Beaver), 『더티 해리』(Dirty Harry)"로 대변되는 1세계 문화임을 주장한다.

> 나의 문화는 워스워스, 쇼, 『비버에게 맡겨』, 『더티 해리』야. 나는 같은 물을 마시고 같은 책을 읽지. 문제는 내 피부 너머를 보지 못하는 너야. 너는 내 교양 있는 영어를 듣지 않고 내가 교양 있는 중산층이라는 사실을 이해 못하지. 내 말은 아프리카가 도대체 나와 무슨 관련이 있냐는 거야? 우리는 알지 못하는 세계와 마치 어떤 상상적 끈이라도 있는 양 으스대지. 한 번도 본적도 없고 볼일도 없는 곳인데. . . . 우리는 이제 인간이야. 우리 중 몇은 이제 그것을 넘어섰다고. (305)

따라서 오셀로가 보기에 "해방에는 피부색 같은 것은 없으며"(300), 자신이 모나를 사랑하는 것은 그녀가 백인이라서가 아니라 빌리와 달리 피부색 너머의 진짜 자신을 보고 인정해주는 존재이기 때문이라고 강변한다(299).

오셀로의 주장은 빌리의 거센 반발을 불러일으킨다. 빌리는 오셀

---

126) Paul Gilroy, *Against Race: Imagining Political Culture beyond the Color Line* (Cambridge: Harvard UP, 2000) 23-40.

로가 원하는 것은 피부색을 넘어서는 것이 아니라 백인의 존중을 받는 것이며 그가 모나를 사랑하는 것도 바로 그녀가 백인이기 때문이라고 주장한다(299). 빌리의 이 주장은 오셀로와 달리 시대가 달라졌어도 여전히 사회의 "기준", "규칙", "경계"가 백인이라는 점은 변함이 없다는 판단에 기초한다(300). 이 사회에서 아직도 "진보"는 오로지 "백인학교"에 가고 "백인의 직업"을 갖고, "우리가 백인과 다를 바 없음을 입증하는 길" 뿐이며 "우리가 무얼 하든 우리는 흑인"일뿐이다(300). 따라서 흑인과 백인이라는 두 선택지만이 존재하는 이 사회에서 인종을 부정하는 오셀로는 인종을 넘어서는 것이 아니라 흑인성을 부정하는 것이며 백인이 되고 싶어 하는 것에 불과하다. 빌리는 그를 "흑인혐오증을 앓고 있는 흑인"이라고 부르며 마기는 이에 호응하듯 "자신의 삶을 표백하고 싶은 남자"라고 규정한다(303).

지승아가 부조리극을 연상시킨다고 지적할 정도로[127] 화해할 수 없는 시각차를 드러내는 빌리와 오셀로의 대화 아닌 대화는 합의점을 찾지 못한 채로 종결되며, 빌리와 오셀로의 갈등은 끝까지 해결되지 않고 불협화음으로 남는다. 오셀로는 모나와 결혼해서 사이프로스로 떠나고 극은 정신병원에 남겨진 버림받은 흑인 아내 빌리의 모습으로 막을 내린다. 시어즈는 한 인터뷰에서 관객들이 이 극을 빌리와 오셀로 중 한 쪽 입장을 대변하는 것으로 읽는 것을 경계하며 극의 핵심을

---

127) 지승아. 「오델로라는 이름의 유령 −인종, 여성, 그리고 자넷 시어스의 *Harlem Duet*」. 『현대영미드라마』. 27.1 (2014): 101.

"갈등"이라고 정의한다.[128]

그런데 시어즈가 우려하듯 관객이 빌리와 오셀로의 갈등을 동등한 거리를 두고 객관적으로 지켜보기는 매우 어렵다. 왜냐하면 오셀로가 무슨 이야기를 하건 그는 9년간 함께 해온 아내를 버리는 배신자이며 그것도 아내 돈으로 출세한 후 이제 아내의 학업을 뒷바라지해야할 시기에 그녀를 모른 척 하는 은혜를 모르는 인간이기 때문이다. 하지만 시어즈가 극을 "갈등"으로 읽기를 요구하는 것은 오셀로가 제기하는 질문의 중요성을 인정하기 때문이다. 오셀로가 자신을 규정하는 것은 아프리카가 아니라 워스워스와 쇼임을 주장하며 환기하는 것은 바로 21세기 오셀로들의 혼종성이다. 흑인 이산의 역사의 산물인 시어즈의 흑인 인물들도 모두 혼종적 존재들이다. 할렘에 "미국의 아프리카촌" 건설을 꿈꾸지만 빌리도 오셀로처럼 미국의 대학 교육을 받은 "교양 있는 영어"를 구사하는 미국인이며, 흑인 집주인 마기의 피에는 백인 선조의 피가 흐르고 있다(311). 따라서 필립스처럼 시어즈도 오셀로와 빌리의 대립을 "갈등"으로 남기며 "본 적도 없고 볼 일도 없는" 아프리카, 즉 뿌리의 회복이 가능하지도 않을뿐더러 답이 될 수도 없음을 이야기한다.

다른 두 내러티브와 달리 현대의 내러티브를 빌리의 비극으로 마무리 짓는 것도 동일한 문제의식의 표현이다. 앞서 지적한대로 극을 구성하는 세 개의 내러티브에서 인종과 남녀 관계의 갈등은 모두 폭

---

128) Sears, Interview with Mat Buntin.

력으로 마무리된다. 그런데 1860년과 1928년 이야기가 오셀로의 죽음으로 종결된다면, 현대의 내러티브에서 신경쇠약으로 자아의 분열을 경험하는 것은 오셀로가 아니라 빌리다. 1막에서 대화가 합의점을 찾지 못하고 종결 된 후 빌리는 2막에 이르면 연금술과 마법에 의존한다. 그리고 셰익스피어 극 3막 4장의 오셀로 대사에서 "예언자적 분노에 사로잡혀 작품에 수를 놓던"(A sybil in her prophetic fury sewed the work, 3.4.68) 시빌처럼 오셀로의 손수건에 독을 묻혀 오셀로와 "그(너)의 새 신부"(your new bride 306)에게 줄 "선물"을 준비한다. 손수건을 "나의 검은 전사"(My sable warrior)라고 부르며 마치 흑인성을 지키기 위한 복수전을 준비하는 것만 같은 빌리를 마기는 백인들에 대한 생각에 사로잡혀 생을 낭비하고 "심지어 자신이 누구인지도 잊고 있다"고 지적하며, 빌리는 자신의 몸이 "빠르게 증가하는 바퀴벌레들" "하얀 바퀴벌레들"에 둘러싸인 환각을 본다(313-314).

극은 이렇듯 빌리의 분리주의가 피부색에 대한 강박으로 이어지며 정신적으로 무너져가는 모습을 통해 빌리 역시 오셀로와 마찬가지로 400년에 걸친 백인우월주의가 낳은 질병을 앓고 있음을 보여주는 한편 분리주의가 대안이 될 수 없음을 이야기한다. 디킨슨(Peter Dickinson)의 지적처럼 빌리와 오셀로가 마틴 루터 킹 대로와 말콤 X 대로의 교차로, 즉 분리주의와 통합주의의 교차로를 건너지 못하고 "삶이 반복되는 회로에 갇혀있다면",129) 이를 넘어서는 새로운 대안의 탐색은 빌리

---

129) Peter Dickinson, "Duets, Duologues, and Black Diasporic Theatre: Djanet Sears,

에게 맡겨진다. 그리고 이것이 시어즈가 현대의 내러티브에서 빌리를 비극의 주인공으로 세우는 이유이기도하다. 정신병동 방문객용 휴게실에서 혼자 노래를 부르며 알듯 모를 듯한 말을 하는 빌리는 아직 삶과 죽음, 절망과 희망의 교차로에 서있는 모습이며, 그녀가 해답을 찾았다고 보기는 어렵다.

하지만 극이 마기와 특히 빌리의 아버지 캐나다(Canada)가 그녀의 곁에 함께 있는 장면으로 마무리된다는 점은 적어도 흑인성과 흑인공동체가 탐색의 출발점이 되어야 한다는 시어즈의 생각을 보여준다. 이것은 오셀로의 인종을 넘어섰다는 주장에 대한 비판이기도 하다. 이점과 관련해서 주목할 부분은 오셀로가 빌리와 격렬한 언쟁 끝에 흑인 여성보다 백인 여성이 좋다고 진심을 털어놓는 대목이다.

> 그래, 난 백인 여성이 더 좋아. 그들은 더 쉬워－성관계 전이나 후나. 그들은 날 원했고 나도 그들을 원했지. 그들은 직장에서 겪은 부당한 대우에 대해 적의로 가득 차 있지 않아. . . . 흑인 여성에게 난 그녀가 함께했던, 여전히 처리할 일이 많이 남은 모든 흑인을 대표하지. 내가 사랑했던 백인 여성들은 나를 봤어－나를 볼 수 있었지. (305)

오셀로가 백인 여성을 선호하는 이유는 그들은 (흑인여성처럼) 직장에서 겪은 부당한 대우에 대해 적의로 가득 차 있지 않기 때문이

William Shakespeare, and Others," *Modern Drama*, 45:2 (2002): 191.

카릴 필립스의 『피의 본성』과 자넷 시어스의 『할렘 듀엣』: 『오셀로』와 21세기 인종문제   **147**

며, 또 내게서 (흑인여성처럼) 그녀가 함께 했던 모든 흑인을 보지 않기 때문이다. 다시 말해 오셀로가 피하고 싶은 것은 자신이 흑인임을 일깨우는 관계이며 오셀로가 원하는 것은 '더 쉬운', 즉 책임을 요구하지 않는 관계이다. 오셀로의 가장 솔직한 진심이 담긴 이 구절은 인종을 넘어섰다는 오셀로의 주장이 흑인성, 즉 이 사회에서 인종적 타자로 살아가는 것의 의미에 대해 고민하기를 포기하고 회피하는 것은 아닌가에 대한 시어즈의 우려가 담겨있다. 왜냐하면 오셀로는 자신을 미국인이라고 주장하지만 "미국인이라는 정체성은 여전히 미국 사회에 존재하는 인종 차별을 직시하지 않고 국가라는 이름으로 인종 간의 갈등을 지울 위험을 내포"하기 때문이다.[130]

이와 관련해 마지막 대목에서 캐나다의 선택은 의미심장하다. 캐나다는 결함이 있는 아버지이다. 오셀로처럼 아내를 배신하고 백인 여성과 연애도 했고 또 어머니와 빌리를 두고 떠나기도 했던 인물이다. 그런데 캐나다는 이번에는 오셀로와 달리 캐나다는 딸 빌리와 그의 흑인 친구들 곁에 머무는 결정을 내린다. "이미 한 평생 떠나는 것은 지나칠 정도로 많이 해보아서 말이야"(317)라고 읊조리면서. 그리고 캐나다의 이 선택을 통해 극은 오셀로의 지적처럼 피부색이 정체성을 결정하는 것은 아니지만, 흑인성을 빼놓고 이야기할 수 없다는 것, 다시 말해 새로운 길의 탐색은 흑인성에서 출발해야 한다는 것을 이야기한다.

---

130) 지승아, 앞의 글 107.

필립스, 시어즈, 포스트식민주의

『피의 본성』과 『할렘 듀엣』은 우리 시대 인종문제를 고민하는 전장에서 셰익스피어의 『오셀로』가 주요한 전거로 활용되고 있음을 보여주는 예이다. 두 작품은 모두 『오셀로』 다시쓰기를 통해 20세기 후반 인종 간 혹은 종족 간 갈등 양상의 변화를 담아내며 제 1세계 내 오셀로들인 흑인 디아스포라들의 정체성 문제에 천착하고 있다. 그런데 『피의 본성』과 『할렘 듀엣』의 탐색은 사뭇 다른 결론을 향한다. 그리고 그 차이가 현재 포스트식민주의의 쟁점이기도 하다는 점에서 두 작품은 포스트식민적 주체의 정체성 문제를 둘러싼 우리 시대의 논쟁을 반영하며 또 그에 개입하고 있다. 따라서 두 작품의 독해와 평가는 이 논쟁에 대한 이해와 평가와 무관할 수 없으며, 서로가 서로를 비추어주는 거울 역할을 한다.

앞서 지적했듯이 필립스는 현재 포스트식민주의 담론 중 호미 바바에서 폴 길로이로 이어지는 흐름의 영향을 보여준다. 디아스포라들의 이동성(migrancy)을 강조하는 이들은 인종주의적 과거가 여전히 현재적임을 인정하지만 주변화된 인물들의 인종 간 만남에 대해 낙관적 태도를 견지한다. 이를테면 바바는 포스트식민주체의 특징인 '혼종성'에서 식민주의적 권위를 위협하는 반식민적 저항의 가능성을 보며, 길로이도 디아스포라를 국민국가의 단일한 권력구조를 약화시키고 다양한 정체들 간의 유대를 만들어낼 수 있는 힘으로 해석한다.[131]

필립스가 오셀로의 이야기를 비극에서 희극으로 다시 쓰며 오셀로의 선택에서 다문화적 주체의 가능성을 찾는 것도 동일한 생각의 표현이다. 그런데 필립스의 의도는 이해는 되지만 억지스럽고 또 독자에게 불편함을 자아내는 면이 있다. 이 불편함은 소설이 오셀로적 인물과 그의 선택을 단순화하는 면이 있다고 느껴지기 때문이다. 필립스는 서로 상이한 인물과 그들의 상황을 병치하며 이것이 이 소설의 주요한 의미화 전략이다. 독자에게 두 상황을 비교하고 그 연관성을 찾아내도록 유도하는 것인데, 문제는 이러한 병치가 의미를 확대하고 이해를 심화하기 보다는 상황과 인물을 오히려 단순화한다는 것이다.

앞에서 언급한 홀로코스트 생존자 에바와 흑인 유대인 말카의 유비가 그 중 하나이며, 오셀로와 스테판의 유비는 또 다른 예다. 소설은 에바의 나치수용소행과 말카의 이스라엘행을 유사한 언어로 묘사하며 '고향'을 문제적 개념으로 만들고 종족중심적 태도를 경계한다. 하지만 말카의 환멸이 죽음을 향해 가는 에바의 경험과는 결코 비교할 수 없는 것이라는 점에서 이는 매우 불편하다. 오셀로와 스테판의 경우도 마찬가지다. 소설은 아내와 아이를 두고 고향을 떠난 인물이자 새로운 고향을 찾는 인물이라는 점에서 두 인물의 상황을 유비한다. 하지만 오셀로와 스테판은 고향을 떠나온 이유도 새로운 고향을 찾는 이유도 다른, 각기 다른 목적을 지니고 다른 싸움을 하는 인물들이다. 스테판에게 홀로코스트라는 누구도 부인하기 힘든 도덕적 정당성이

---

131) 호미 바바의 혼종성 개념에 대해서는 Loomba, 앞의 글 143-163; 폴 길로이의 디아스포라 이론에 대해서는 Shackleton, Introduction 참조.

있다면 오셀로의 경우는 "세상의 중심에 서고 싶은" 갈망을 제외하고 다른 이야기는 찾을 수 없다. 소설은 이렇듯 서로 다른 인물들의 이야기를 병치해서 각자가 처한 상황의 차이를 지우고, 또 그 상황에 대한 각자의 책임의 차이도 지운다. 그 결과 남는 것은 혼종적 주체의 이동성뿐이며, 필립스는 오셀로와 스테판을 둘 다 하나의 고향에 머물지 않고 문화와 문화 간의 화합의 길로 나아가는 이른바 다문화적 주체로 세운다.

필립스 소설의 이러한 단순화에서 느껴지는 불만은 바바와 길로이의 이론이 받아온 비판과 연결된다는 점에서 흥미롭다. 색클톤(Mark Shackleton)의 지적처럼 바바와 길로이는 포스트식민적 주체의 상황에 대해 지나치게 낙관적이며 이들의 고통과 역사적 지정학적 정치적 맥락에 충분히 주의를 기울이지 않는다는 점에서 비판받아왔다.[132] 패리(Benita Parry)는 이들이 "이산의 해방적 효과"에 매혹되어 "서구 대도시에서 저임금 노동자들의 암울한 '산문적 삶'보다 대도시의 코스모폴리턴 예술가, 작가, 지식인, 전문가, 금융업자, 기업가의 경험과 전망"을 특권화한다고 지적하며,[133] 룸바(Ania Loomba)도 그 결과 "식민적, 포스트식민적 주체들을 규정하는 상이한 혼종성을 설명하지 못하며" 모두 동질적 존재로 만든다고 비판한다.[134]

---

132) Shackleton, 앞의 글 ix.
133) Benita Parry, *Postcolonial Studies: A Materialist Critique* (London: Routledge, 2004) 70.
134) Loomba, 앞의 글 147.

시어스의 극은 흑인여성 빌리의 존재를 통해 바로 "포스트식민적 주체들을 규정하는 상이한 혼종성"을 문제 삼으며 필립스가 꿈꾸는 다문화적 주체의 관념성을 밝혀주는 면이 있다. 이 점과 관련해 주목할 대목은 백인뿐 아니라 흑인 남성들로부터 이중의 고통을 받아온 흑인 여성의 삶을 돌아볼 것을 요구하는 빌리의 대사다.

> 당신 어머니는 평생 일을 하셨지. 우리 엄마도 일했고, 그녀의 엄마도 일했어 . . . 우리가 이 대륙에 도착한 후 대부분 흑인 여성들은 노새처럼 노동했어. 노새처럼 말이야. 백인 여성들이 브라를 불태울 때 우리는 그녀들의 가슴을 떠받치기 위해 고용됐었지. 그녀들의 집, 아이들을 돌보았어 . . . 내가 당신을 지지하지 않는다고? 우리 엄마의 죽음 값으로 당신 학비를 냈는데도. 내 학비가 아니라. (304)

앞서 분석했듯이 시어스는 오셀로를 흑인공동체에 속한 인물로 만들며, 그를 통해 필립스가 오셀로와 스테판을 유비하며 지워버린 오셀로의 책임이라는 문제를 전면에 부각시킨다. 위 대사에서 흑인 여성들은 오셀로가 모나를 택하며 외면하고자 하는 흑인 역사와 현실을 환기시키는 존재들이다. 이 대사에서 시어즈는 백인 여성들이 여성 해방을 외치며 브라를 불태우는 동안 그녀들의 집, 아이들을 돌보며 심지어 그녀들의 가슴을 받쳐준 흑인 여성들과 오셀로의 교육을 가능케 해준 빌리 어머니의 사망보험금과 빌리의 희생을 상기시키며, 오셀로와 모나의 이른바 인종을 초월한 사랑이라고 하는 것이 이들의 노동과 희생을 토대로 하고 있음을 지적한다. 그리고 어떤 이들에게는 여전히 흑인과 백인이라는 두 선택지밖에 없음을 보여주는 흑인의 현실을 환기시키며, 인종을 넘어섰다는 오셀로의 주장이 혹 이들의 희생을 바탕으로 한 특권적 위치에서 나온 것은 아닌지 질문하게 한다.

물론 시어즈의 오셀로와 필립스가 극화하는 다문화적 주체의 이상을 비교하는 것은 무리가 따르는 일이다. 하지만 시어즈가 빌리를 통해 표현하는 오셀로에 대한 우려는 필립스의 다문화적 주체, 그리고 바바와 길로이가 이상화하는 혼종적 주체의 관념성과 낭만성의 핵심을 짚는 면이 있다. 왜냐하면 빌리가 묘사하는 흑인 여성들은 바로 바바와 길로이 등이 "대도시의 코스모폴리턴 예술가, 작가, 지식인, 전문가, 금융업자, 기업가의 경험과 전망"을 특권화하며 지워버린 "저임금 노동자들의 암울한 산문적 삶"을 보여주는 존재들이기도 하기 때문이다. 그리고 시어즈는 오셀로가 아닌 빌리를 비극의 주인공으로 세워 진정한 다문화적 사회는 이동성을 낭만화하는 다문화적 주체가 아니라 바로 "식민적, 포스트식민적 주체들을 규정하는 상이한 혼종성"에 대한 이해로부터 출발해야 함을 이야기한다.

제3부

셰익스피어를 통해 생각하는
우리 시대의 여성 문제

제1장

제인 스마일리의『천 에이커』
고너릴이 다시 쓴『리어왕』

여성작가/감독들의 셰익스피어 다시쓰기

20세기 후반 주목할 만한 현상 중 하나는 여성작가/감독들에 의한 셰익스피어 다시쓰기 작업이 폭발적으로 증가했다는 점이다. 그리고 그 분야는 연극 무대에서부터 시, 소설, 그리고 20세기 대중문화의 꽃인 영화에 이르기까지 광범위하며, 여성작가와 감독들의 관심 역시 비단 여성문제에 국한되지 않고 인종과 계급, 민족, 환경 등 그들의 활동분야만큼이나 다양하다. 20세기 초 버지니아 울프(Virginia Woolf)가

선망과 분노가 착종된 마음으로 꿈꾸었던 '셰익스피어 누이'들의 활약이 우리 시대에 성취될 수 있었던 바탕에는 지난세기에 활발하게 진행된 여성운동의 경험과 그것이 가능케 한 여성들의 삶의 변화가 자리한다. 여성 운동이 여성들을 남성들의 시각과 욕망의 대상이 아니라 주체로 세우는 것이라면, 여성작가들의 셰익스피어 다시쓰기 역시 단순히 한 작가에 대한 해석 작업이 아니라 리치(Adrienne Rich)가 정의하듯이 "살아남기 위한 행위"[135]였다고 할 수 있다.

여성작가들은 셰익스피어 다시쓰기를 통해 셰익스피어와 그에 대한 전통적 해석이 내포하는 우리문명의 "가정들"을 재검토하고 있으며 여성성과 그 여성성을 표현할 새로운 언어, 전통을 찾고 있다.

> 다시쓰기─되돌아보기, 새로운 눈으로 보기, 새로운 비평적 관점에서 옛 텍스트에 접근하기─는 우리에게 문화사의 한 장 이상의 의미를 지닙니다. 그것은 살아남기 위한 행위입니다. 우리를 완전히 감싸고 있는 가정들을 이해한 이후에야 우리는 우리자신을 알 수 있습니다. . . . 우리는 과거의 글들을 알 필요가 있고, 그것도 지금까지 우리가 알아왔던 것과 다르게 알아야합니다. 전통을 전하는 것이 아니라 그것의 지배를 깰 필요가 있습니다.[136]

---

135) Adrienne Rich, "When We Dead Awaken: Writing as Re-Vision," *On Lies, Secrets, and Silence* (New York: Norton, 1979) 35.
136) Rich, 같은 글 35.

미국 소설가 제인 스마일리(Jane Smiley, 1949~)가 『리어왕』(*King Lear*)[137]을 다시 쓴 『천 에이커』(*A Thousand Acres*)[138]는 우리 시대에 발표된 셰익스피어 다시쓰기 중 두드러진 성취를 거둔 작품이다. 여성 작가들이 다시 쓴 셰익스피어가 사실 그 열정적 시도에 비해 평단의 인정과 대중적 성공을 거둔 예는 드문데 반해, 『천 에이커』는 이 두 마리 토끼를 모두 잡는데 성공한 듯 보인다. 1991년 이 소설이 출간된 뒤 평단은 1992년 퓰리처상(Pulitzer Award)과 전미 서평자 그룹 상 (National Book Critics Circle Award)을 수여해 이 소설의 작품성을 인정했으며, 1997년에는 제시카 랭(Jessica Lange)과 미셸 파이퍼(Michelle Pfeiffer) 라는 걸출한 두 여배우가 주연을 맡은 영화로 제작되어 대중적 인기 와 시장성을 인정받기도 했다.[139] 당대의 인정과 대중적 인기가 곧바 로 작품의 질을 보장해준다고 할 수는 없다. 하지만 학계와 대중문화 계가 동시에 주목했다는 것은 이 작품이 시도하는 셰익스피어 다시쓰 기가 우리 시대인들이 셰익스피어, 더 구체적으로 『리어왕』에 대해 갖 는 복합적 감정의 핵심을 제대로 집고 있음을 보여준다.

그렇다면 스마일리는 왜 그리고 어떻게 『리어왕』을 다시 쓰고 있 을까? 그리고 어떤 점이 우리 시대인들에게 육박해 흡인력을 발휘하 는 것인가? 스마일리는 1991년 시카고 트리뷴(Chicago Tribune) 지와 가

---

137) William Shakespeare, *King Lear*. ed. Kenneth Muir (London: Methuen, 1975)
138) Jane Smiley, *A Thousand Acres: A Novel* (New York: Anchor Books, 1991)
139) 〈A Thousand Acres, 1997〉, dir. Jocelyn Moorhouse.

진 인터뷰에서 모두가 인정하는 셰익스피어의 위대한 비극 『리어왕』이 자신에게는 늘 불편한 작품이었음을 고백하며, 다시쓰기에 나서게된 동기를 다음과 같이 밝힌다.

> 나는 언제나 『리어왕』이 내게 소개되는 방식이 적절치 않다고 느껴왔습니다. 그 이유를 분명하게 표현할 수는 없었지만, 나는 고너릴과 리건이 부당한 대접을 받아왔다고 생각했습니다. . . . 딸들이 그토록 분노하는 이유가 있어야 했습니다. 셰익스피어라면 그들의 분노를 사악한 본성탓으로 돌렸겠지만, 나는 20세기를 살아가는 사람들이라면 이유 없는악의 존재를 믿지는 않을 것이라고 생각합니다. 나는 그 분노가 어디에서 비롯되었는지를 알고 있었습니다.[140]

사실 고너릴(Goneril)과 리건(Regan)의 형상화에 대한 스마일리의이 불만은 여러 여성주의 비평가들의 공통된 지적이기도 했다. 이를테면 프렌치(Marilyn French)는 "극의 레토릭에서 어떤 남성도 고너릴만큼매도되지는 않는다"며 같은 악인임에도 불구하고 극이 남성인 에드먼드(Edmund)와 고너릴, 리건을 다루는 방식이 매우 다르다는 점을 문제삼았으며,[141] 노비(Marianne Novy) 역시 에드먼드(Edmond)뿐 아니라 기

---

140) Jon Anderson, "Author Finds Ample Fodder in Rural Midwest," Interview with Jane Smiley, *Chicago Tribune,* 24 November 1991: C1, C3.

141) Marilyn French, *Shakespeare's Division of Experience* (London: Jonathan Cape, 1982) 233.

독교 사회의 공적인 유대인 샤일록(Shylock)에게까지 그토록 웅변적으로 자신이 과거에 당했던 부당한 대우를 호소할 수 있는 기회를 부여했던 셰익스피어가 유독 고너릴과 리건에게는 어떠한 변명의 기회도 부여하지 않는다고 불만을 표하기도 했다.[142]

하지만 이러한 불만에도 불구하고 여성주의 비평가들이 쉽사리 고너릴과 리건의 편을 들 수는 없다. 왜냐하면 맥러스키(Katherine McLuskie)의 지적대로 늙은 아버지를 몰아내고 파멸시키는 사악한 딸들인 고너릴과 리건의 편을 드는 것은 극의 논리상 "극의 감정구조에 역행하고, 여성주의 이데올로기를 원시적인 이기심과 개인 의지의 끔찍한 긍정과 동일시하게 되는" 결론으로 이어지기 마련인 탓이었다.[143] 아델만(Janet Adelman)은 "아버지에 맞서는 딸들"인 여성주의 비평가들에게 『리어왕』이 불편한 작품이었음을 지적하는 또 한 명의 평자인데, 그녀는 리어의 사악한 딸들에 대한 공감이 어떻게 해서 죄의식으로 이어질 수밖에 없는지 그 심리의 움직임을 다음과 같이 묘사한다.

내가 생각하기에 고너릴과 리건의 형상화가 유달리 공포스러운 이유는

---

142) Marianne L. Novy, *Love's Argument: Gender Relations in Shakespeare* (London: U of North Carolina P, 1984) 152-153.

143) Kathleen McLuskie, "The patriarchal bard: feminist criticism and Shakespeare: *King Lear* and *Measure for Measure*," *Political Shakespeare* (Manchester: Manchester U P, 1985) 102.

—우리가 누군가의 딸들에게 특히 그러한데—그들이 초기에 한발 물러서서 아버지를 비판하던 것에서 나중에 적극적으로 남성성을 거세하고, 아버지를 버리고, 글로스터에 따르자면, 아버지를 살해하려는 시도에까지 이르게 되는 것이, 모두 만족할 줄 모르는 성욕을 채우기 위한 필연적 과정인 것처럼 그려지기 때문이다. 마치 처음에 있었던 자율성의 몸짓이 그러한 결과로 이어질 수밖에 없다는 듯이 말이다. 그 어떤 텍스트보다 가부장적인 이 극에서 한발 물러서서 거리를 두고자 했을 때 나는 마치 내가 셰익스피어뿐 아니라 셰익스피어를 내게 처음 가르쳐준 사랑하는 아버지들을 살해하려고 시도하는 것처럼 극심한 불안과 죄의식을 느꼈다. 그러면서 나 자신이 바로 그 논리에 얼마나 깊이 연루되어 있는가를 깨달았다.[144]

『천 에이커』의 호소력은 한 편으로 스마일리의 『리어왕』 다시쓰기가 페미니스트 비평가들의 입을 빌어 표현된 우리 시대 여성들의 공통된 불만에 기초한다는 점에서 비롯한다. 여성주의 비평가들이 고너릴과 리건의 형상화에 이의를 제기하면서도 작품의 논리에 충실해야하는 비평의 특성 상 쉽사리 그녀들의 편을 들 수 없었다면, 『천 에이커』는 다시쓰기의 자유로움을 이용해 배은망덕한 두 딸들을 무대의 전면으로 불러온다. 두 딸 중 하나인 고너릴(지니 Ginny)을 화자로 택

---

144) Janet Adelman, "Suffocating Mothers in *King Lear,*" *Suffocating Mothers: Fantasies of Maternal Origin in Shakespeare's Plays, 'Hamlet' to 'The Tempest'* (New York: Routledge, 1992) 305 n. 40.

해 '배은망덕한 딸들'에 불과했던 이들에게 내면과 역사를 부여하는 동시에 '배은망덕한' 두 딸들의 "그토록 잔인한 마음을 만들어낸 이유가 있을 게 아닌가"(Is there any cause in nature which makes these hard hearts?)(*King Lear*, 3.6.75-76)를 묻는다. 다시 말해 왜 그 딸들이 배은망덕한 짓을 저지르게 되었는지, 도대체 두 딸들에게 무슨 일이 있었는지, 어떤 아버지였기에 이들이 배은망덕한 딸들이 되었는지를.

따라서 『천 에이커』는 고너릴의 변호사를 자처하는 스마일리가 펼치는 두 딸들을 위한 변론이며 "『리어왕』에 대한 학술논문"[145]이다. 하지만 동시에 그것은 우리 시대의 모든 배은망덕한 딸들을 위한 옹호문이기도 하다. 왜냐하면 스마일리가 재구성해내는 것은 다름 아닌 스마일리의 아버지, 곧 미국의 아버지들의 이야기이기 때문이다. 『천 에이커』에서 배경은 고대 브리튼 왕국이 아니라 1970년대 후반 미국 아이오와(Iowa) 주의 한 농촌 마을이며, 스마일리에게 셰익스피어의 『리어왕』은 반발의 대상일 뿐만 아니라 우리 시대의 아버지와 딸들의 관계를 천착하기 위한 렌즈가 되고 있다. 이것은 『천 에이커』가 지닌 흡인력의 또 하나의 비밀이기도 하다.

쉬프(James A. Schiff)의 지적처럼 모름지기 진정한 다시쓰기 작품이라면 그 자체로 "흥미로운 동시대 이야기"이면서 동시에 "선택된 유

---

145) Jane Smiley, "Shakespeare in Iceland," *Transforming Shakespeare: Contemporary Women's Re-Visions in Literature and Performance*, ed. Marianne Novy (London: Macmillan, 1999) 159.

비관계가 원전의 이해를 풍부하게 하는 것"이어야 할 것이다.146) 그렇다면 모두가 인정하는 셰익스피어의 위대한 비극『리어왕』을 다시 쓰겠다고 나선『천 에이커』는 이 두 가지 목표를 어떻게, 그리고 얼마나 성취하고 있을까? 이 질문은 모든 다시쓰기 작품을 마주 해 마땅히 품게 되고, 또 품어야 하는 것이지만,『천 에이커』의 경우는 더욱 긴요하다. 그것은『천 에이커』가 그 어떤 다시쓰기보다도 원작에 지나치리만큼 충실한 작품이기 때문이다. 스마일리는『리어왕』을 다시 쓰며 단순히 원작의 인물구성과 상황, 주제를 빌려오는데 그치지 않고 원작의 줄거리와 장면들, 그리고 심지어 대사까지 고집스럽게 좇는다. 그리고 이를 통해 독자로 하여금 이 소설을 읽으며『리어왕』을 연상하고 두 작품을 비교하도록 강요한다. 그런데 솔직히 고백하자면 고집스런 인유는 이 소설 읽기를 감동적이면서도 동시에 불편한 것으로 만드는 원인이기도 하다. 스마일리가 독자에게 요구하는『리어왕』과『천 에이커』의 비교가 어떤 점에서 감동을 주는지, 그리고 그것이 또 어떤 이유에서 불편하게 만드는지를 점검해보며 셰익스피어 다시쓰기로서의『천 에이커』의 의의와 성취를 가늠해보고자 한다.

---

146) James A. Schiff, "Comtemporary Retellings: *A Thousand Acres* as the Latest Lear," *Critique* 39 (1998): 370.

『리어왕』과 『천 에이커』: 배은망덕한 두 딸들을 전면화하다

『천 에이커』는 『리어왕』과 마찬가지로 아버지인 래리 쿡(Larry Cook)이 권력과 재산을 딸들에게 넘기면서 시작한다. 래리는 아이오와 주의 가상적 지역인 제뷰론 군(Zebulon County)에서 왕과 같은 존재이다. 그는 근면과 성실함으로 인근에서 가장 넓고 잘 가꿔진 농장을 일구었으며, "그가 의견을 말하면, 사람들은 귀를 기울이"는 모든 이들이 존경하는 "훌륭한 농부"이다(104). 평생을 바쳐 이룬 농장 천 에이커의 소유권을 이양하겠다는 래리의 결심은 현대적 배경에 어울리게 이웃 농부 해롤드 클락(Harold Clark: 글로스터)이 연 돼지고기 바비큐 파티에서 발표된다(17-27). 래리는 자신의 농장을 일종의 법인으로 전환한 뒤 세 딸들에게 그 지분을 증여해서 상속세를 절약하려 한다고 동기를 설명하지만, 리어의 왕위 이양 결심과 마찬가지로 래리의 갑작스런 결단은 그가 밝힌 동기만으론 온전히 설명되지 않는 구석이 있다.

래리의 "은밀한 동기"(darker purposes)(King Lear 1.1.35)를 새로 구입한 최신형 트랙터와 아들을 자랑하기 위해 바비큐 파티를 연 동료이자 라이벌인 해롤드를 제치고 무대의 중심을 차지하고 싶은 욕구로 보건,[147] 혹은 권력을 내주기는커녕 딸들과 사위를 자신의 확장과정에 편입시켜 지배를 오히려 강화하려는 의도로 해석하건 간에,[148] 이 장

---

147) Schiff, 같은 글 372.

148) Marina Leslie, "Incest, Incorporation, and *King Lear* in Jane Smiley's *A Thousand Acres*," *College English* 60 (1998): 40.

면이 여실히 보여주는 것은 모든 것을 자신의 뜻대로 좌지우지해온 전제군주적인 가부장으로서의 래리의 모습이다. 그리고 래리의 결정은 역시 리어의 그것과 마찬가지로 래리 자신과 그의 농장, 그리고 가족의 붕괴의 드라마를 촉발하는 계기가 된다.

『천 에이커』는 래리와 그 가족의 붕괴를 그리며 원작을 충실하게 따른다. 권력과 땅을 내준 래리는 광기에 휩싸인 채 폭풍우 속으로 내쫓기며, 아버지의 계획에 이의를 제기하다 돈 한 푼 받지 못하고 내쫓겼던 캐롤라인(Caroline: 코딜리아)은 프랭크(Frank: 프랑스 왕)와 결혼한 뒤 버림받은 아버지를 돕기 위해 돌아온다. 지니와 로즈(Rose: 리건) 두 자매는 남편을 두고 이웃집 청년 제스(Jess: 에드먼드)와 사랑에 빠지며, 질투심에 눈이 먼 지니는 자신의 동생인 로즈를 독살할 계획을 세운다. 『천 에이커』가 재현해 내는 것은 비단 리어 가족의 배신과 붕괴의 드라마뿐이 아니다. 소설은 보조 줄거리인 글로스터 집안의 이야기 역시 해롤드 클락(글로스터)과 그의 두 아들간의 아버지의 재산을 둘러싼 의심과 힘겨루기, 그리고 해롤드의 실명 등으로 고스란히 재현해내며, 앞서도 밝힌 것처럼 그 어떤 다시쓰기 보다도 원작의 줄거리를 고집스럽게 좇는다.

차이는 이야기를 바라보고 기술하는 관점에 있다. 셰익스피어의 눈과 공감이 몰락하는 늙은 아버지에게 있었다면, 스마일리는 늙은 아버지를 몰아내는 딸들을 무대의 전면으로 불러온다. 『천 에이커』에서 화자는 '배은망덕한 딸들' 중 하나인 지니(고너릴)이며, 스마일리는 그녀의 눈을 통해 왜 딸들이 아버지를 몰아낼 수밖에 없었는지, 왜 '배은망덕한 딸들'이 될 수밖에 없었는지를 보여준다. 따라서『천 에이커』
는 '배은망덕한 딸들의 눈으로 다시 쓴 아버지의 몰락의 드라마이자
동시에 아버지의 파괴적 유산에 맞선 딸들의 힘겨운 싸움의 드라마가
된다.

하지만 '배은망덕한 딸들'의 관점을 택한다고 해서 소설이 그들을
선과 악의 구도를 뒤집어 단순히 악한 아버지에 맞서는 착한 딸들로
그리는 것은 아니다. 배은망덕한 딸들과 아버지의 관계를 그리는 소설
의 눈은 훨씬 더 복잡하다. 주인공이자 화자인 지니는 냉혹하고 사악
한 고너릴과는 한참 거리가 멀지만, 결코 선하고 죄 없는 희생양만은
아니다. 지니는 비밀이 많은 사람이다. 농장엔 그녀가 남편 몰래 임신
을 시도하다 유산한 태아의 시신이 묻혀있으며, 그녀는 제스와 간통을
하고, 질투심에 사로잡혀 여동생 로즈를 독살할 계획을 세우기도 한
다. 그리고 아버지의 농장에 대한 지니의 태도도 사심이 없다고 보기
어렵다. 아버지의 결정에 반발하는 캐롤라인에게 평생을 결산하는 아
버지의 결정을 자식들은 "올바른 태도"(34)로 받아들어야 하는 것이라
고 설득하지만, 정말로 지니가 아버지를 위하는 마음에서 아버지의 뜻
을 따르는 것이라고 해석하기는 힘들다. 왜냐하면 결국 이 결정으로
삼백만 달러에 달하는 농장의 소유권을 얻는 것은 지니 자신이기 때
문이다.

다만 작품은 지니를(셰익스피어의『리어왕』에서 리어가 그랬듯
이) "죄를 짓기보다는 부당한 대접을 받은 사람"(a man more sinned
against than sinning)(*King Lear* 3.2.57-8)으로 그린다. 초반부의 지니는 미

국 중심부가 여성에게 기대하는 가치를 구현하는 인물이다. 그녀는 금욕적이고 부지런한데다 가정적이며 공손하기까지 하다. 그리고 무엇보다도 그녀에게 가장 중요한 것은 체면을 유지하는 것이다. 왜냐하면 "제블론 군에서 멋진 외양은 다른 모든 멋진 것들의 원천이자 징표"(199)이기 때문이다. 또한 지니는 자신의 욕망과 감정을 억누르는데 익숙하며 좀처럼 자신의 의견을 피력하는 법이 없다. 자신의 생각을 말할 때조차도 "마음속에서 문장들을 거듭 되뇌면서 [듣는 이의] 기분을 상하지 않게 하려고 단언과 단도직입적 질문을 다듬곤"(115) 하는 지니는 착한 딸이자 겸손한 아내이며, 스트렐(Susan Strehle)의 지적처럼 "그녀의 아버지의 양육과 가치가 만들어낸 산물"이다.[149]

『리어왕』이 리어의 깨달음과 성장의 이야기라면 『천 에이커』에서 그 기회를 부여받는 것은 두 딸들, 특히 지니이다. 권력과 지위의 상실이 리어에게 자기 자신과 세계를 돌아볼 기회를 주었다면, 『천 에이커』에서 그것은 아버지의 꼭두각시에 불과했던 지니가 아버지의 지배와 그늘에서 벗어나 억압되었던 자신의 욕망과 기억을 되찾는 계기가 된다. 그리고 이 과정을 통해 밝혀진 진실의 역사의 핵심에 존재하는 것은, 존경받는 "훌륭한 농부" 래리가 사실은 어린 두 딸들을 번갈아가며 성폭행한 파렴치한이자 폭군이었다는 끔찍한 사실이다. 그런데 딸들에 대한 리어의 태도에서 근친 상간적인 욕망의 내러티브를 읽어내

---

149) Susan Strehle, "The daughter's subversion in Jane Smiley's *A Thousand Acres*," *Critique* 41 (2000): 213.

는 것은 『리어왕』에 대한 비평에서 새로운 이야기는 아니다. 대표적
비평가로는 칸(Coppélia Kahn)과 부스(Lynda Boose)가 있는데,[150] 이들
은 모두 아버지 리어의 근친 상간적인 욕망의 좌절, 혹은 억압이 극의
심리적 구조에 내재해 있으며 극의 진행을 추동한다고 해석한다. 하지
만 스마일리의 다시쓰기는 아버지의 근친 상간적인 욕망을 그저 욕망
에 그치는 것이 아니라 실행시킨다는 점에서, 그리고 아버지의 근친
상간적인 욕망의 대상을 그가 아끼는 딸 코딜리아(Cordelia)가 아니라
아버지가 혐오하는 두 딸 고너릴(지니)과 리건(로즈)으로 설정한다는
점에서 이전의 시도들과 다를 뿐더러 충격적이기까지 하다.

래리(리어)의 근친 상간적 충동과 자연관

충격적이긴 하지만 스마일리의 의도는 비교적 명확하다. 레슬리
(Marina Leslie)의 지적처럼 스마일리의 변형은 아버지의 근친 상간적 충
동이 왜곡된 애정의 표현이 아니라 권력과 통제의 잔인한 행사의 예
임을 분명히 하려는 것이다. 따라서 스마일리의 소설에서 "근친 상간

---

150) Coppélia Kahn, "The Absent Mother in *King Lear*," *Rewriting the Renaissance: The Discourses of Sexual Difference in Early Modern Europe*, ed. Margaret W. Ferguson (Chicago: U of Chicago P, 1986) 33-49; Lynda Boose, "The Family in Shakespeare Studies; or—Studies in the Family of Shakespereans; or—The Politics of Power," *Renaissance Quarterly* 40 (1987): 706-742.

제인 스마일리의 『천 에이커』: 고너릴이 다시 쓴 『리어왕』   **169**

적 충동은 성보다는, 권력 의지, 여성이 남성에게 봉사하는 또 다른 방식의 표현과 관련된"것으로, 다시 말해 여성에 대한 래리의 태도의 자연스런 귀결로 그려진다.151)

로즈가 비꼬듯이 래리는 여성의 지위와 역할에 대해 나름의 "대단한 이론체계"를 지닌 인물이다(10). 래리의 "대단한 이론체계"에 따르자면 여성은 남성을 위해 식사와 의복을 준비하고 성적욕구를 채워주는, 남성의 필요를 위해 존재한다는 점에서 보자면 기르는 가축과 다를 바 없는 존재이다. 그 중 무엇보다도 여성의 가장 중요한 본분은 후손의 생산에 있다. 따라서 래리에게 바깥 일(변호사)을 한답시고 "생산하기엔 거의 너무 늦었다고"(10) 할 수 있는 나이인 스물여덟 살이 되도록 결혼을 안 하고 있는 캐롤라인은 여자구실을 못하는 걱정스럽고 한심한 딸일 뿐이며, 불임 때문에 고생하는 큰 딸 지니는 진짜 여자가 아니라 "씨를 맺지 못하는 음탕한 계집"(a barren whore), "음탕한 돌계집"(a dried-up whore bitch) 일 뿐이다(181).

『천 에이커』의 폭풍우 장면에서 래리가 딸들을 배은망덕한 년들이라고 비난하며 지니에게 퍼붓는 이 욕설들은 『리어왕』 1막 4장에서 리어가 고너릴의 본모습을 알게 된 뒤 "저년 몸속에 있는 생식의 기능을 말리고 저년의 타락한 육체에서 어미의 명예가 될 아이를 낳지 않게 하라"(Into her womb convey sterility!/ Dry up in her the organs of increase,/ And from her derogate body never spring/ A babe to honour her!

---

151) Leslie, 앞의 글 38.

1.4.277-9)며 퍼붓던 저주를 스마일리가 다시 쓴 것이다. 여성의 성에 대한 혐오를 담고 있는 이 표현들은 래리가 지니를 성의 노리개로 삼아 폭행해온 과거가 있다는 점에서 더 끔찍한 울림을 지니며, 스마일리는 이 다시쓰기를 통해 원작에서는 딸들에게 부당한 대접을 받은 아버지의 정당하고 공감이 가는 분노의 표현이라는 점 아래 간과되곤 했던 리어의 이 욕설의 반여성적이고 폭력적 면모를 여실히 드러내준다.

그리고 여러 비평가들이 공통적으로 지적하듯이 소설은 여성에 대한 래리의 태도가 땅(자연)에 대한 그의 태도와 상호연관된 것임을 강조한다. 땅에 대한 래리의 태도를 잘 보여주는 것은 농부의 본분에 대한 정의를 담고 있는 래리 집안의 일종의 "교리문답"이다.

> 우리에겐 일종의 교리문답 같은 것이었어요.
> 농부는 무엇이지?
> 세상을 먹여 살리는 사람이지요.
> 농부의 첫째 의무는 무엇이지?
> 더 많은 식량을 생산하는 것이요.
> 농부의 둘째 의무는 무엇이지?
> 더 많은 땅을 사는 것이요.
> 훌륭한 농장의 표식은 무엇이지?
> 잘 가꿔진 밭, 말끔하게 칠해진 건물들, 정각 여섯시의 아침식사, 빚이 없고 고인 물이 없는 곳. (45)

"훌륭한 농부"(104)인 래리와 그의 집안에서 더 많은 식량을 생산하고, 그 식량을 재배할 더 넓은 땅을 사는 것은 종교와 다름없는 신앙의 대상이다. 따라서 래리에게 땅(자연)은 그저 농부의 첫째 의무인 더 많은 식량을 생산하기 위한 도구에 불과하다. 마치 여성이 그에게 남성의 씨를 받아 후계를 생산하기 위한 도구에 불과했듯이 말이다. 지니가 회고하듯이 어느 것도 래리의 "윙윙거리는 기계가 단조롭게 경작지의 굳은 표면을 열어"(136-137) 더 많은 식량 생산과 더 많은 땅의 정복이라는 제일의 목표를 향해 나아가는 과정을 멈추게 할 수는 없었다. 그리고 이렇듯 집요한 의지로 땅을 갈아 씨앗을 심고 확장해가는 래리의 모습은 어두운 욕망에 휩싸여 밤마다 어린 딸들의 방을 찾아 그들을 성폭행하던 래리의 모습과 묘하게 오버랩 되고 있다.[152]

소설은 래리의 이 탐욕스런 트랙터가 짓밟고 밀어낸 존재들을 잊지 않는다. 그것은 서식처를 잃은 펠리컨들부터(9), 길을 잃고 농장을 찾아든 어린 사슴(234), 지니와 로즈가 놀던 어린 시절의 추억이 깃든 작은 연못, 그리고 이웃 농부 칼 에릭슨(Cal Ericson)과 같은 존재들이다. 칼 에릭슨은 래리와 달리 동물들을 사랑하고 "시장"이 아니라―래리의 경멸어린 표현에 따르자면―"욕구"와 "기분"에 따라 농장을 운영하는 인물로, 그가 결국 농장을 잃고 밀려나는 모습은 래리의 확장과정의 반생명성을 증명해주는 예이다(44).

스마일리의 소설에서 남성들이 이룩한 자연의 파괴와 정복과정의 가장 큰, 그리고 직접적 피해자들은 다름 아닌 여성들이다. 제블론 군

---

152) Strehle, 앞의 글 216.

의 농부의 아내들은 이러저러한 병을 앓고 있거나 그 병으로 때 이른 죽음을 맞고 있다. 지니의 할머니 이디스(Edith)는 암으로 보이는 병을 앓다가 한창 나이인 마흔 셋에 운명을 달리했으며, 지니의 어머니 역시 사십대 초반에 암으로 세상을 떠났다. 제스의 어머니를 죽이는 것 역시 유방암에서 시작해 전신에 퍼진 암이며, 래리의 두 딸들도 이 지역 여인들의 운명을 피해가지 못하고 있다. 로즈는 고작 서른넷이라는 나이에 유방암으로 가슴 한 쪽을 절단한 상태이며, 결국 암이 재발해 서른일곱의 나이에 사망한다. 그리고 지니에게 그 운명은 불임이라는 병으로 찾아온다. 스마일리는 제스의 입을 통해 이 지역 여인들의 기이하게 공통된 운명이 바로 아버지들이 더 많은 수확과 이윤을 얻기 위해 사용한 화학제초제와 비료가 자연을 오염시킨 결과임을 분명히 한다(164-165).

래리와 미국의 꿈의 도덕적 파멸

『천 에이커』에서 스마일리가 이렇듯 여성과 땅에 대한 래리의 태도의 상호연관성을 강조하는 것은 래리의 범죄(성폭행)가 그의 특이한 성취향이나 도덕적 결함의 문제만이 아니라 바로 그의 삶의 방식의 당연한 결론임을 이야기하기 위한 것이다. 왜냐하면 바스(Ellen Bass)의 지적처럼 "유아성폭행은 생명에 대한 폭력을 용인해 온 문화의 일부분"[153]이기 때문이다. 따라서 래리의 성폭행은 로즈가 주장하듯이 래리에게 딸들이 연못이나, 집들, 혹은 돼지와 곡물들과 마찬가지로 그가 원하는 대로 할 수 있는 소유물에 불과했음을 보여주는 증거이자, 그 "생명에 대한 폭력을 용인해온 문화", 즉 래리의 삶의 방식의 폭력성을 단적으로 보여주는 예가 된다. "우리는 그 사람의 자기마음대로할 수 있는 소유물이었을 뿐이야. 연못과 집, 돼지새끼와 농작물처럼 다를 바 없었지"(191).

소설은 또한 래리 쿡의 삶의 방식을 비단 그의 가족이나 제블론군만의 문제가 아니라 미국 역사 전체의 문제로 확장한다. 스마일리가 지니의 입을 빌어 전해주는 쿡(Cook) 가문의 역사는 전형적인 미국의 꿈의 성공담이다.[154] 1890년대 "단지 가능성에 불과했던 미국의 꿈"(14)을 안고 유럽에서 신대륙 미국으로 건너 온 가난한 농부 샘 데이비스 (Sam Davis)로부터 시작된 쿡 가문의 미국 개척사는 불가능에서 가능성을 찾고 무에서 유를 이룩해온 미국의 성공신화의 표본이다. 래리의 선조들은 한갓 쓸모없는 땅이었던 늪지를 비옥한 농토로 바꾸었으며, 오두막과 30에이커에서 시작해 타고난 근면과 성실함, 신중한 결혼, 그리고 약간의 사기행각까지 동원해 농장을 확장해왔다(14-16). 선조들의 뒤를 이어 쿡 농장을 천 에이커로 키우고 지켜온 래리는 바로 이들

---

153) Ellen Bass, "Child Sexual Abuse," *Rape and Society: Readings on the Problems of Sexual Assault,* eds. Patricia Searles and Ronald J. Berger (Boulder: Westview, 1995) 118.
154) Kyoko Amano, "Alger's Shadows in Jane Smiley's *A Thousand Acres*," *Critique* 47 (2005): 23.

의 정신적, 육체적 후손이며, 따라서 래리의 도덕적 파탄은 미국의 꿈의 도덕적 파멸이기도하다. 스마일리는 리어를 래리로 다시 쓰며 미국의 아버지들의 위대한 개척사가 사실은 여성과 자연을 대상화하고 착취해 온 파괴의 과정이기도 했음을 고발하고 있다.

이러한 관점에서 스마일리가 이 소설의 배경을 1970년대 후반으로 설정하고 있다는 점은 의미심장하다. 1970년대 후반은 미국의 중심부를 지켜온 가족 경영 농장들이 심각한 위기를 겪었던 시기이다. 농업의 자본주의화라는 피할 수 없는 역사의 흐름 속에서 앞 다투어 토지를 담보로 대출을 받았던 미국 중서부의 농부들은 결국 대부분 토지를 잃고 파산했으며, 토지는 은행과 농업기업의 소유로 넘어가게 된다.155) 래리의 몰락은 바로 1970년대 후반 발생한 미국 농부의 몰락과정의 극화이다. 소설은 래리의 농장이 은행의 손에 넘어간 뒤 경매처분에 부쳐진 후 결국 농업기업인 미 중심부 기업(The Heartland Corporation)의 소유로 바뀌는 과정을 보여주며 막을 내린다. 소설의 마지막 대목에서 대지의 새로운 주인이 된 미 중심부 기업 소유의 불도저가 래리의 집과 농장을 비롯해 모든 생명 있는 것들을 밀어버리는 모습(368)은 자연을 정복과 파괴의 대상으로만 간주한 래리의, 곧 미국 아버지들의 개척사의 필연적 결말로 읽힌다.

---

155) Iska Alter, "*King Lear* and *A Thousand Acres*: Gender, Genre, and the Revisionary Impulse," *Transforming Shakespeare: Contemporary Women's Re-Visions in Literature and Performance,* ed. Marianne Novy (London: Macmillan, 1999) 153.

앞서 지적한대로 『천 에이커』에서 래리의 몰락을 지켜보는 것은 지니의 몫이며, 따라서 소설은 미국의 아버지 래리의 몰락 이야기이면서 동시에 지니의 깨달음과 성장의 이야기이다. 똑같이 아버지의 성폭행의 피해자였으면서도 여동생 로즈가 그 기억을 잊지 않고 간직하고 있다면 지니는 망각하고 있다. 지니에게 망각이 현실의 외면이면서 동시에 참혹한 현실을 견디고 살아남는 나름의 방법이었다면, 지니에게 그 기억을 일깨워주는 것은 살아남기 위해 기억하는 길을 택했던 동생 로즈의 고백이다. 스마일리는 『리어왕』의 그 유명한 폭풍우 장면을 지니가 살아남기 위해 망각했던 아버지의 진실을 다시금 대면하는 장면으로 다시 쓴다. 그리고 리어가 폭풍우 속에서 마주한 것이 단순히 딸들의 배은망덕이 아니라 그 배은망덕을 낳은 딸들의 세계의 진실이었던 것과 마찬가지로, 지니가 대면하는 것은 단순히 어린 시절의 고통스런 기억만은 아니다. 지니는 "훌륭한 농부"인 아버지의 추악한 이면을 통해 "생명에 대한 폭력을 용인해온 문화"를 대면하며 아버지의 "위대한 역사"의 이면을 마주한다.

지니가 남편 타이(Ty)와 마지막으로 나누는 다음 대화는 지니가 이 대면을 통해 어떤 변화를 겪고 깨달음에 도달했는지를 잘 보여주는 대목이다. 아버지의 "위대한 역사"를 자신의 역사로 받아들이며, "존재하는 것은 존재하는 것이며, 존재하는 것은 옳다"(136)고 체념하던 지니는 아버지의 "위대한 역사"의 추악한 이면을 다음과 같이 고발한다.

"당신은 그의 일부였다는 것이 자랑스럽지요. 하지만 나는 내 역할이 무엇이었는지 알게 되었어요 . . . 당신이 보는 것은 그의 위대한 역사지요. 하지만 내 눈엔 그것이 파괴한 것들이 보여요. 내겐 보여요. 원해서 가지고 난 뒤 그것을 정당하기 위해 당신들이 어떻게 둘러대었는지를. 그리고 다른 이들에게 대가를 치르게 한 다음, 대가가 무엇이었는지를 어떻게 숨기고 망각했는지를. 아버지가 혼자 힘으로 우리를 구타하고 성폭행했다고 생각하는 줄 알아요?" 타이가 움찔했다. "아니에요. 그도 배운 거죠. 그 가르침은 땅과 그리고 무슨 일이 있어도 제 뜻대로 만사를 움직여나가려는 욕망과 한 묶음이었어요. 그것이 물을 오염시키는 것이든 표토를 파괴하고, 점점 더 큰 기계를 사들이고, 모든 일이－당신이 그랬듯－'제대로 되고 있다'고 확신하는 것이든 말이에요." (342)

하지만 아버지의 어두운 진실과의 대면이 새로운 희망으로 이어지는 것은 아니다. 소설은 원작과 달리 두 딸들로 하여금 아버지의 몰락과 죽음을 지켜보고 살아남게 한다. 그리고 이를 통해 과거를 반추하고 새로운 역사와 희망을 만들어내는 역할을 아버지가 아니라 딸들에게 맡긴다. 하지만 그 기간은 너무 짧고 그다지 희망적이지 않아 보인다. 로즈는 도리어 점점 더 아버지 래리와 닮은꼴이 되어간다. 로즈는 원래도 자기주장이 강하고 자신의 감정과 욕구를 가장 중요시 여긴다는 점에서 아버지 래리와 가장 닮은 딸이다(68). 이런 로즈에게 자신이 아버지의 성폭행의 피해자였다는 사실은 자신의 이기적이고 독선적인 행동들을 정당화해주는 근거가 된다. 그녀는 제스와 언니의 관계를 알면서도, 아니 언니의 남자였기에 더 욕심이 나서 제스와 간통을 저지르고 결국 그를 차지한다. 그리고 그 사실을 조금의 주저함, 조금의 죄의식도 없이 언니에게 밝힌다. 마치 솔직함이 모든 것을 정당화해주는 것 인양 말이다(303). 남편 피트는 그녀의 **뻔뻔한** 솔직함의 또 한명의 희생자이다. 피트는 부인의 간통사실을 알고 만취한 채 트럭을 몰고 저수지로 돌진한다. 아버지 래리 뿐만이 아니라 지니, 피트, 그리고 제스 등 모두가 떠나간 뒤 아버지의 농장에 홀로 남아 농장을 지키며 암으로 죽어가는 로즈의 마지막 모습은 욕망의 트랙터로 땅과 동물들, 그리고 부인과 딸들마저도 짓밟으며 전진하던 아버지 래리의 모습과 너무도 흡사하다(340).

지니는 아버지의 농장에서 벗어난다는 점에서 로즈와 다르다. 하지만 그녀가 농장을 버리고 택한 삶 역시 그렇게 희망적이지는 않다. 지니가 새롭게 둥지를 튼 곳은 계절의 변화를 전혀 느낄 수 없는, 지니의 표현에 따르자면 눈과 비를 비롯한 모든 자연의 변화가 그저 창밖의 풍경에 불과한 대도시의 작은 식당이다(333). 지니는 스쳐지나가는 트럭 운전사 손님들과 그저 의례적 대화를 나누는 것이 세상과의 소통의 전부인 콘크리트와 익명의 사회에서 아주 편안해한다. 하지만 그 편안함은 꿈과 미래가 없기에, 다시 말해 욕망이 없기에 가능한 것이다. 지니 자신도 그것을 잘 알고 있으며 농장을 떠난 후의 자신의 삶을 "일종의 사후 삶"과 같다고 이야기 한다(334).

스마일리는 심지어 로즈의 딸들에게도 희망의 가능성을 열어놓지 않는 것처럼 보인다. 그들은 어머니가 암으로 죽은 뒤 어머니와 다를 바 없이 가까웠던 지니와 함께 살게 되지만, 지니는 그들의 동거가 깊은 감정적 유대에 기반한 것이 아니라 그냥 함께 지내는 것에 불과했다고 이야기한다. 그리고 소설은 로즈의 딸 중 하나인 린다(Linda)가 할아버지 래리의 농장의 새로운 주인인 거대자본 중 하나인 제너럴 후즈(General Foods) 사에서 일하게 될 것을 암시하며 끝을 맺는다(369).

『천 에이커』의 불편함의 정체

이제 『천 에이커』를 읽으며 필자가 느꼈던 불편함에 대해 이야기해보기로하자. 작품이 출간된 당시의 리뷰들과,[156] 또 미국 워싱턴(Washington) 주 린덴(Linden) 시의 한 고등학교에서 이 소설을 수업교재로 채택하는 문제를 두고 벌어졌던 소란은 이 불편함이 필자 개인만의 것이 아님을 확인케 해준다.[157] 레슬리는 『천 에이커』가 이처럼 독자들을 불편하게 만드는 이유를 딸들을 성폭행하는 아버지 래리가 바로 셰익스피어의 위대한 아버지 리어의 다시쓰기라는 점에서 찾는다. 그녀에 따르자면 이 다시쓰기는 우리가 셰익스피어에 대해 품고 있는 경외감에 도전하고 있으며, 독자들의 "신경질적인 반응"은 "문화

---

156) Edmund Fuller, "Kind and Unkind Daughter: *The Quondam Wives* and *A Thousand Acres*," *Sewanee Review* (1993): lii.

157) 1994년 미 워싱턴주 린덴시의 한 고등학교에서 『천 에이커』가 『리어왕』과 함께 수업교재로 선택된데 대해 보수적 기독교 단체 소속의 학부모들을 중심으로 거센 항의와 반발이 있었으며, 결국 그 고등학교 교장에 의해 『천 에이커』는 수업목록에서 추방되었다. Leslie, 앞의 글 31-34 참조.

적으로 막강한 셰익스피어의 가부장적인 품에서 추방당하는 것"에 대한 두려움의 표현이다.[158] 소설 속에서 제블론 마을 주민들이 래리의 끔찍한 진실을 듣고도 그것을 믿기를 거부하며 래리를 여전히 "죄를 짓기 보다는 부당한 대우를 받은" 아버지로 대우하듯이, 우리는 래리가 리어의 분신임을 인정하기를 거부하고 두려워하고 있는 것이라고 해석된다. 레슬리의 주장대로라면 이 소설을 읽으며 독자들이 불편함을 느낀다는 것은 역으로 스마일리가 시도하는 『리어왕』 다시쓰기가 매우 유의미한 것이며, 또 그 시도가 어느 정도 성공을 거두고 있음을 보여주는 증거가 된다.

레슬리의 주장은 상당히 설득력이 있으며 왜 『천 에이커』가 독자들을 불편하게 만드는지 그 이유의 일면을 제대로 짚고 있음을 부정할 수는 없다. 하지만 필자가 느끼는 불편함을 온전히 설명해주는지는 의심스럽다. 리어의 분신인 래리가 딸들을 성폭행해온 아버지로 그려진다는 점은 충격적이지만 그것이 필자가 느끼는 불편함의 주된 원인은 아니다. 물론 우리가 알고 있는 셰익스피어의 리어가 밤마다 자신도 알 수 없는 어두운 욕정에 사로잡혀 어린 딸들의 방을 찾는 모습을 상상하기는 어렵다. 아마 스마일리도 래리가 곧 리어임을 주장하고 있는 것은 아닐 것이다. 왜냐하면 『리어왕』에 대한 반발에서 출발했지만 스마일리가 재구성한 것은 엄연히 스마일리의 '아버지'이기 때문이다. 그리고 스마일리가 래리를 통해 비판하는 것은 사실 『리어왕』의 주제

---

158) Leslie, 같은 글 46.

이기도 하다. 미국의 아버지 래리는 자연을 오로지 조작과 지배의 대상으로 삼는 근대적 정신의 대변자인 에드먼드의 후손이며, 셰익스피어의『리어왕』의 위대성은 절대군주인 리어가 에드먼드의 이 태도를 공유하고 있음을, 다시 말해 리어의 몰락이 단순히 에드먼드가 대변하는 새로운 세력들에 의해 밀려나는 희생의 과정이 아니라 스스로 자초한 파멸의 과정임을 보여주는데 있다. 따라서『천 에이커』는『리어왕』에 대한 반발이면서 동시에 그 통찰과 전통을 잇는 작품이기도 한 것이다.

필자를 불편하게 만드는 것은 래리의 형상화라기 보다는 분노로만 가득 차 있는 딸들의 모습이다. 이를 단적으로 보여주는 대목은 해롤드의 불행을 받아들이는 로즈의 모습이다.『천 에이커』에서 해롤드는『리어왕』의 글로스터와는 달리 야비하기만 한 인물이다. 글로스터가 다소 속물적이며 어수룩하긴 하지만 선과 악을 분별하고 곤란에 처한 옛 주군 리어를 돕는 용기를 지닌 인물이었다면, 소설은 글로스터를 해롤드로 다시 쓰면서 아들의 배신을 의심하고 두려워하던 모습만을 부각시킨다. 해롤드는 재산을 미끼로 두 아들 간의 경쟁과 반목을 부추기는가 하면, 래리와 딸들 간의 화해를 주선하는 척 하면서 '배은망덕한' 딸들인 지니와 로즈와 함께 자신의 뜻을 고분고분하게 따르지 않던 아들 제스를 공개적으로 망신을 주는 기회로 삼는다(213-220). 해롤드는 글로스터와 마찬가지로 두 눈을 잃지만 그것은 글로스터의 그것처럼 용기 있는 행동 때문에 받게 된 수난이 아니라 비열함에 대한 인과응보로 그려진다.

하지만 그 원인이 무엇이던지 간에 해롤드의 실명은 글로스터의 그것 못지않게 끔찍한 사건이다. 제스는 비록 자신을 공개적으로 망신주고 쫓아낸 아버지이지만 끔찍한 사고를 당했다는 소식에 너무나도 당연히 놀라고 당황스러워 한다. 로즈는 이렇듯 부당한 아버지에 대한 정당한 분노와 끔찍한 사고를 당한 아버지에 대한 연민 사이에서 갈등하는 제스에게 다음과 같이 쐐기를 박는다.

> "끔찍한 사건이에요. 나도 인정해요." 그녀는 가위를 집어 들고 나를 바라보았다. "하지만 지난밤에도 내가 이야기했었지요. 나약함은 내게 아무런 도움이 되지 않아요. 그들이 고통을 받든지 말든지 내가 알바 아니에요. 그들은 고통을 받으면서 다시 죄가 없어졌다고 확신하지요. 히틀러도 죽을 때 두려움에 떨고 고통스러워했을 거라고 생각하지 않나요? 걱정이 되나요? 만약 그(히틀러)가 자신의 명분이 정당하고 옳았다고, 그 모든 유대인들이 몰살당하는 것이 당연했다고, 적어도 자신은 평생의 과업을 성취할 만큼 충분히 살았다고 믿으며 죽었다면, 그의 고통이 기쁘고 더 큰 고통을 당하기를 바라지 않겠어요? 깊이 뉘우쳐야 해요. 당신들이 파괴한 것들에게 속죄해야 해요. 그렇지 않으면 절대로 계산이 맞아 떨어지지 않지요." (234)

로즈가 겨냥하는 것은 해롤드이면서 동시에 아버지 래리이다. 로즈의 분노는 정당하다. 그리고 아버지들이 끔찍한 일을 당하고 고통을 받는다고 해서 과거의 죄가 사라지는 아니라는 것도 적어도 논리적으로는 옳다. 하지만 지금 고통을 받고 있는 사람은 히틀러가 아니라 자신의 아버지이며, 아니 그것이 설사 히틀러라도 해도 고통 받는 타인에 대해 연민을 느끼는 것은 너무나도 자연스럽고 인간적인 반응이라는 점에서, 모든 연민을 "나약함"의 증거로만 몰아붙이는 로즈의 태도는 섬뜩하다.

앞서도 지적했지만 스마일리는 로즈의 이 태도의 파괴성을 알고 있으며, 점점 그토록 증오하던 아버지 래리와 닮은꼴이 되어가는 로즈의 모습을 통해 이를 보여주고 있다. 하지만 과연 스마일리가 이 분노에서 얼마나 벗어나 있는지는 의문스럽다. 그녀는 분노의 파괴성을 알면서도 로즈와 마찬가지로 분노외의 다른 길을 찾지 못하고 있는 듯 보인다. 그것은 『천 에이커』가 분노에 찬 두 딸들은 실감나게 형상화해내면서 또 하나의 딸인 캐롤라인을 형상화하는데 실패하고 있다는 점에서 찾을 수 있다.

알터(Iska Altar)의 지적처럼 『천 에이커』에서 캐롤라인의 형상화는 단편적이고 혼돈스럽다.[159] 캐롤라인은 두 언니들의 공모와 노력으로 아버지의 폭압적인 농장을 벗어나 농부의 아내가 아닌 독립적인 여성 변호사로서 삶을 일굴 수 있었던 인물이다. 하지만 이 소설의 화자 지니는 캐롤라인에게 엄마와 같은 존재였으면서도 그녀의 성격과 행동을 전혀 이해하지 못하고 있는 듯 보인다. 왜 아버지의 가장 사랑하는 딸이었던 그녀가 농장을 넘기겠다는 아버지의 계획에 반발하는지, 그리고 또 어떤 이유 때문에 그녀의 반대를 그토록 쉽게 접고 아버지의

---

159) Alter, 앞의 글 150.

의사를 존중할 생각을 하는지, 그리고 어떻게 다분히 계산적이던 그녀가 "사람들은 기본적으로 선량하다"(362)는 것을 믿으며 고통 받는 아버지를 극진히 돌보는 효성 지극한 딸로 변모하게 되는지가 충분히 설명되지 않는다. 캐롤라인의 형상화의 미진함은 스마일리가 강연에서 고백하듯이 지니 탓이라기 작가인 스마일리 자신의 문제이다. 스마일리는 고너릴과 리건이 매우 친숙하게 다가왔던 반면에, 코딜리아란 인물을 상상하는 것이 어려웠다고 토로한다.160) 그것은 아버지에게 부당한 대접을 받고도 그를 용서하고, 순종하는 동시에 사랑하는 코딜리아의 태도를 이해할 수 없었다는 고백이다.

분노에서 벗어나는 법과 진정한 다시쓰기의 길

로즈가 암으로 죽어가며 이야기하듯이 지니와 로즈가 아버지의 파괴적 유산에 맞서 이룩한 성취는 아버지의 실체를 두려워하지도, 또 외면하지도 않으며 끝까지 보아냈다는데 있다.

"내가 아는 것은 내가 그것을 보아 냈다는 것이예요. 두려워하지 않고 외면하지도 않고 그것을 보았다는 것이지요. 그리고 용서할 수 없는 것

---

160) "While I thought I had worked through the plot well enough, I knew that I had failed . . . with Cordelia, who just wouldn't talk to me." Smiley, "Shakespeare in Iceland" 173.

을 용서하지 않았다는 것이요. 용서는 우리가 아는 것을 견딜 수 없을 때 나오는 반사 작용 같은 것이지요. 나는 그 반사 작용을 거부했어요. 그것만이 내가 이룬 단 하나의 외로운 성취지요." (355-6)

그녀들의 분노는 정당하며 용기의 표현임은 누구도 부정할 수 없다. 특히 이들의 성취가 폭력적 아버지 래리에 대한 두 딸들의 저항을 외양의 유지 혹은 딸들의 도리 혹은 농장의 유지 등 여러 이유들을 들어가며 인정하지 않으려 하는 사회에서 이루어낸 것이라는 점에서 더욱 값진 것이기도 하다. 하지만 두 딸들의 분노는 다른 한편으로 그들이 아버지의 세계에 여전히 구속되어 있음을 의미한다는 점에서 문제적이다. 왜냐하면 분노는 집착의 다른 이름이기 때문이다. 분노라는 사슬마저 벗어버리고 나서야만 아버지의 지배와 전통에서 진정으로 자유로워질 수 있는 것이며, 비로소 스마일리를 비롯한 모든 여성작가들의 셰익스피어 다시쓰기가 목표로 하는 새로운 문명, 전통을 창조하는 길로 나가는 것이 가능해지게 된다고 생각된다.

작품이 출간된 지 7년 뒤인 1998년 발표된 스마일리의 글은 작가 자신이 필자가 한명의 독자로서 느낀 이 불편함에 공감하는 모습을 보여준다는 점에서 매우 흥미롭다.[161] 제프리 초서(Geoffrey Chaucer, 1343~1400)가 임종의 침대에서 자신의 작품들을 철회했던 유명한 역사적 일화에 대한 언급으로 시작하는 이 글에서 스마일리는 『리어왕』에

---

161) Smiley, "Shakespeare in Iceland" 176-179.

대한 자신의 해석이 달라졌음을 고백한다. 『천 에이커』를 집필할 당시의 그녀에게 『리어왕』이 셰익스피어가 가부장적인 아버지 리어를 위해 쓴 변명이자 옹호문인 것처럼만 읽혔다면, 그녀는 시간이 셰익스피어의 공감의 대상이 아버지가 아니라 오히려 딸들이었음을 알게 해주었다고 이야기한다. 따라서 『리어왕』은 아들인 셰익스피어가 자신의 아버지의 고통과 동시에 책임을 이해하려는 노력이며 코딜리아라는 인물을 통해 도덕적이지만 인간적으로 가능하지는 않은 "용서할 수 없는 것을 용서하려는" 시도로 새롭게 이해된다.

스마일리의 이 발언은 단순히 『리어왕』에 대한 해석의 변화를 넘어 아버지의 문명과 전통에 대한 그녀의 태도가 달라졌음을 고백하는 것이자 정당하지만 파괴적이며, 아버지의 세계에 여전히 구속되어있음을 의미하는 분노에서 놓여났음을 보여준다는 점에서 흥미롭다. 그리고 새로운 여성성과 언어를 찾기 위한 그녀의 "살아남기 위한 행위"가 장차 어떻게 진행될 지 기대를 갖게 한다. 하지만 그녀가 초서를 예로 들며 자신의 작품 『천 에이커』를 부인하는 몸짓을 보인다고 해서 이 소설의 의의가 사라지는 것은 아니다. 초서의 철회에도 불구하고 그의 주옥같은 작품들이 여전히 우리 곁에 살아있듯이, 스마일리의 『천 에이커』는 아버지들의 파괴적 문명에 대한 신랄하고, 불편하지만 동시에 감동적인 고발로 우리 곁에 남을 것이다.

제2장

마리나 워너의 『인디고』와
미셸 클리프의 『하늘로 통하는 전화는 없다』
현대 미란다들의 『태풍』 다시쓰기

『태풍』의 불편함과 '미란다의 덫'

셰익스피어의 말년작인 『태풍』(The Tempest)[162]은 여성작가와 비평가들에게 불만스러움을 넘어 불편하기까지 한 작품이었다.[163] 그

---

[162] William Shakespeare, *The Tempest*. ed. David Lindley (Cambridge: Cambridge UP, 2002). 앞으로 작품 인용은 본문에 막.장.라인으로 표기.

[163] Ann Thompson, "'Miranda, Where's Your Sister?' Reading Shakespeare's *The Tempest*," *Feminist Criticism: Theory and Practice*, ed. Susan Sellers (Toronto: U of Toronto P, 1991) 47 참조.

이유는 두 가지이다. 하나는 작품에서 적극적이고 주체적인 여성상의 가능성을 찾기 힘들었기 때문이고, 다른 하나는 여기서 더 나아가 유일한 여성인물인 미란다(Miranda)에게서 바로 자신들의 모습을 보았기 때문이다. 미국 페미니스트 비평가인 라이닝거(Lorrie Jerrell Leininger)가 주조한 용어인 "미란다의 덫"(the Miranda trap)은 여성들이 느끼는 불편함의 정체를 잘 요약해주는 표현이다.164)

『태풍』은 셰익스피어의 드라마 중에서도 여성인물의 부재가 매우 두드러지는 작품인데 미란다는 평생 여성의 얼굴을 본 기억조차 없는 (3.1.48-49) 무대에 등장하는 유일한 여성이다. 프로스페로(Prospero)는 유일한 여성이자 유일한 딸인 미란다에게 자신의 모든 '마법'과 그 마법을 이용한 계획들이 오로지 그녀를 보살피기 위한 것이었다고 주장한다(1.2.16). 하지만 룸바(Ania Loomba)의 지적처럼 미란다는 아버지이자 교사인 프로스페로가 교육과 훈련을 통해 만들어낸 가장 성공적인 창조물이며, 프로스페로의 훈육은 두 가지 목적을 지닌다.165) 하나는 아버지의 뜻에 대한 순종이다. 미란다는 아버지의 명령에 따라 잠이 들고, 잠이 깨며, 말을 하고, 침묵을 한다. 프로스페로가 그 어떤 공주들 보다 더 정성을 기울여 교육한 결과물인(1.2.171-174) 순결하고 순종적인 미란다는 아버지의 가장 값진 재산이며, 결국 나폴리의 왕자 퍼

164) Lorrie Jerrell Leininger, "The Miranda Trap: Sexism and Racism in Shakespeare's Tempest," The Woman's Part: Feminist Criticism of Shakespeare. eds. Carolyn Ruth Swift Lenz, et. al. (Urbana: U of Illinois P, 1980) 285-294.

165) Ania Loomba, Gender, Race, Renaissance Drama (Delhi: Oxford UP, 1992) 154.

디난드(Ferdinand)의 마음을 사로잡아 아버지가 밀라노로 복귀하는데 발판이 된다.

또 하나의 목적은 그녀를 캘리번(Caliban)과 섬에 대한 식민 지배를 정당화하는 도구이자 적극적 공모자로 만들기 위한 것이다. 프로스페로는 캘리번의 겁탈의 위험으로부터 그녀를 보호하기 위해 캘리번을 노예로 삼았다고 주장한다(1.2.345-348). 그러면서도 프로스페로는 캘리번과 얼굴도 마주하기 싫어하는 딸을 계속해서 그 앞에 세운다. 캘리번은 "혐오스런 노예놈"(abhorred slave)이지만 불도 때고, 나무도 해오는 등 섬의 지배에 꼭 필요한 존재이며(1.2.311-315), 프로스페로에게 미란다는 이를 위한 "성적 미끼"인 셈이다. 미란다에게 아버지 프로스페로의 기획이 덫인 것은 두 가지 이유에서이다. 하나는 "자신도 알지 못하는 사이에 지배에 공모"하기 때문이며, 또 하나는 나폴리의 왕비가 되어 표면적으로는 아버지의 기획의 최대 "수혜자"처럼 보이지만 실상 그 기획에 협조한 결과 아버지의 질서에 대한 예속이 강화되기 때문이다.[166]

물론 이 극이 프로스페로와 그의 기획을 긍정적으로만 그리고 있는가는 논란의 대상이며 다양한 의견이 존재한다. 이를테면 브라운(Paul Brown)은 『태풍』이 "식민주의 담론이 착취의 도구, 철저한 양면성의 장소로 작동하는 것을 보여주는 한계 텍스트"[167]라고 이야기하

---

166) Leininger, 앞의 글 289-292.

167) Paul, Brown "'The Thing of Darkness I Acknowledge Mine': *The Tempest* and the

며, 바커(Barker)와 흄(Hulme)은 "프로스페로의 극과 『태풍』이 반드시 동일한 것은 아니다"[168]라고 주장한다. 하지만 라이닌거는 이들과 달리 미란다가 "미란다의 덫"인 아버지의 기획을 벗어날 길이 극의 틀 내에는 없다고 진단한다. 그리고 비평문으로서는 이례적으로 극의 틀을 넘어 "수혜자처럼 보여서 자신도 알지 못하는 사이에 지배에 공모" 하기를 거부하는 "현대 미란다"로서의 선언을 담아 『태풍』 후기를 창조한다.

> 나는 [캘리번을] 노예화하는 구실이 되지는 않을 것이다 . . . 나는 상징적으로 모든 덕목을 내 몸의 한 부분에 두는 도덕 체계에 동의할 수 없다. 내 처녀성은 풍작을 낳거나 거대한 사회정의를 이루는 힘들과는 전혀 관련이 없다. . . .
>
> 사람들이 더 이상 서로를 착취하지 않는 '멋진 신세계'를 만드는데 성공할 수 있을까? . . . 적어도 나는 수혜자처럼 보여서 나도 모르는 사이에 지배에 공모하게 되는 '미란다의 덫'을 빠져나오는 것으로 시작해 볼 것이다. 나는 캘리번과 협력할 필요가 있다. 착취당하고 억압받는 모든 이들과 힘을 모을 필요가 있다. 캘리번 옆에 서서 이렇게 말할 필요가 있다.

Discourse of Colonialism," *Political Shakespeare: New Essays in Cultural Materialism*, eds. Jonathan Dollimore and Alan Sinfield (Manchester: Manchester UP, 1985) 68.

168) Francis Barker and Peter Hulme, "'Nymphs and reapers heavily vanich': The Discursive Con-texts of *The Tempest*," *Alternative Shakespeare*, ed. John Drakakis (London: Methuen, 1985) 199.

우리가 죄악을 용서받고자 한다면

서로를 자유롭게 만들기 위해 힘씁시다.169)

　서양의 여성작가와 비평가들은 "수혜자처럼 보여서 지배에 공모
하는 미란다"가 바로 자신의 모습이기도 했기 때문에 이 극이 불편했
으며, 체드조이(Kate Chedgzoy)의 지적처럼 라이닝거가 창조한 이 "현대
미란다"의 모습에는 "페미니즘을 낳은 여성억압의 경험과 인종차별담
론 내에서 여성이 점하고 있는 이중적 처지를 통합하기 위해 애쓰는
백인 페미니스트의 자아상"이 반영되어 있다.170)

'현대 미란다'들의 『태풍』 다시쓰기

　『태풍』은 셰익스피어 극 중에서 가장 빈번하게 개작이 이루어진
작품 중 하나인데, 1980년대 이후 『태풍』의 개작작업에서 두드러지는
것은 바로 "현대 미란다"들인 여성작가들의 다시쓰기 시도이다. "현대
미란다"들의 『태풍』 다시쓰기는 과거 제국주의 국가였던 제 1세계뿐
아니라 제 2세계인 캐나다, 그리고 특히 과거 식민지였던 제 3세계 캐
리비언 지역의 국가들에서 활발하게 이루어지고 있다.171) 주목할 점

---

169) Leininger, 같은 글 292.
170) Kate Chedgzoy, *Shakespeare's Queer Children: Sexual Politics and Contemporary Culture* (Manchester: Manchester UP, 1995) 98.

은 이러한 여성작가들의 다시쓰기가 20세기 후반 탈식민주의적인『태풍』 다시쓰기의 전통을 잇는 것이면서, 동시에 그에 대한 반발이기도 하다는 점이다.

『태풍』은 1950년대 후반에서 1970년대 초반까지 식민주의에 저항하는 제 3세계와 아프리카 작가들에 의해 활발하게 전유되었다. 룸바는『태풍』이 주목받을 수 있었던 이유를 식민주의에 대한『태풍』의 태도가 "양면적"이라는 점에서 찾으며 그 덕에 식민주의를 반성하고 점검하는 거울로 전유될 수 있었다고 주장한다.172) 그런데 탈식민주의적 전유에서 초점은 주로 캘리번과 프로스페로의 관계였고, 작가들은 캘리번을 제국주의 권력에 대항한 저항의 중심으로 재창조하는데 관심을 쏟았다. 주로 남성작가들이었던 이들에게 미란다는 주목의 대상의 아니었고 주목할 경우에도 "복종을 통해 프로스페로의 억압적 기획에 공모"173)하는 인물일 뿐이었다. 체드조이의 지적처럼 탈식민주의적『태풍』 다시쓰기 작품에서도 여성은 셰익스피어의『태풍』에서와 별반 다를 바 없이 가부장적이며 제국주의적인 권력의 도구이거나 아니면 희생자에 불과했다.174)

1980년대 여성작가들의『태풍』 다시쓰기는 바로 셰익스피어와 또

---

171) Chantal Zabus, *Tempests After Shakespeare* (New York: Palgrave, 2002) 103-176 참조.
172) Loomba, 앞의 책 145-146.
173) Chedgzoy, 앞의 책 96.
174) Chedgzoy, 같은 책 97.

캘리반을 중심으로 한 탈식민주의적『태풍』다시쓰기 작품들이 공통적으로 억압하고 지워버린 여성의 목소리와 존재를 복원해서, 여성의 눈으로『태풍』을 다시 쓰며 식민주의와 탈식민주의의 문제를 재검토하려는 시도이다. 그리고 이들은 이를 통해 자신들 역시 갇혀있는 "미란다의 덫"에서 벗어난 탈식민적 여성주체의 가능성을 모색한다. 닉슨(Rob Nixon)은 1987년 발표된 논문에서 캐리비안과 아프리카 지식인들에게 식민주의의 문제를 천착하는 거울로서『태풍』이 가졌던 의미가 1970년대 이후 약화된 이유를 분석하며, 그 이유 중 하나가 저항의 주체로서의 여성의 역할이 점점 더 증대되고 있는 시대에『태풍』에서 그러한 여성상을 찾기가 어려웠기 때문이라고 이야기한다.[175] 그렇다면 카텔리(Thomas Cartelli)의 지적처럼 프로스페로와 캘리번이 아닌, 미란다를 중심으로『태풍』을 다시 쓰며 그녀를 신/식민주의에 대항하는 주체로 세우고자 하는 1980년대 이후 여성작가들의 작품들 속에서『태풍』은 신/식민주의를 천착하는 거울로서 두 번째 삶을 시작하고 있다고 할 수 있다.[176]

마리나 워너(Marina Warner, 1946~)의『인디고: 혹은 바다의 지도 그리기』(Indigo or, Mapping the Waters 1992)[177]와 미셸 클리프(Michelle

---

175) Rob Nixon, "Caribbean and African Appropriations of The Tempest," *Critical Inquiry* 13 (1987): 576-577.

176) Thomas Cartelli, *Repositioning Shakespeare: National Formations, Postcolonial Appropriations* (London: Routledge, 1999) 119.

177) Marina Warner, *Indigo or, Mapping the Waters* (London: Vintage, 1993). 앞으로

Cliff, 1946~2016)의 『하늘로 통하는 전화는 없다』(*No Telephone to Heaven* 1987)[178]는 여성작가들의 『태풍』 다시쓰기 작품 중 야심차고 뛰어난 성취이다. 마리나 워너와 미셸 클리프는 각기 다른 의미에서 미란다의 후예들이라고 할 수 있다. 이탈리아인 어머니와 영국인 아버지 사이에서 태어나 영국에서 활동 중인 마리나 워너는 식민지배자의 후손이다. 그의 부계 쪽 조상인 토마스 워너 경(Sir Thomas Warner, 1580~1649)은 카리브해 식민 사업에 종사했으며, 워너는 여러 글을 통해 자신의 가족사가 『인디고』를 집필하게 된 동기가 되었음을 밝히고 있다. 미셸 클리프는 식민지였던 자메이카에서 태어났지만 그녀 역시 미국과 영국에서 공부를 하며 프로스페로의 '학문'의 혜택을 입었으며 2016년 세상을 떠날 때까지 주고 미국에서 소설가로 활동했다. 그녀는 한 인터뷰에서 자메이카를 떠난 후에야 글쓰기가 가능했다고 말하며 제 1세계에서 그녀가 받은 프로스페로의 "학문"의 혜택을 인정하고 있다.[179]

워너와 클리프의 소설에는 미란다의 후예들로서의 그녀들의 개인사가 반영되어 있으며, 『태풍』 다시쓰기는 바로 자신이 갇혀 있는 "미란다의 덫"을 탈출하려는 시도이기도하다. 소설의 주인공은 자신들처럼 20세기 미란다이며, 아버지의 기획을 벗어나기 위한 미란다들의 몸

작품 인용은 페이지만 표기.

178) Michelle Cliff, *No Telephone to Heaven* (New York: Vintage, 1989). 앞으로 작품 인용은 페이지만 표기.

179) Michelle Cliff, "An Interview with Michelle Cliff," (by Meryl F. Schwartz) *Contemporary Literature,* 34(4) 1993: 595.

부림이 소설의 핵심 줄거리를 이룬다. 그리고 이것은 두 소설 모두에서 정치적 독립은 이루었지만 여전히 식민지적 상황에 처해있는 식민지 국가들이 정치적, 경제적 독립과 식민주의의 유산을 극복하기 위한 노력들과 함께 그려진다. 그런데 워너와 클리프의 미란다들이 선택한 결론은 매우 대조적이다. 그것은 이 미란다들을 창조한 작가들의 현실 인식의 차이를 보여주는 것 일터인데, 두 소설을 읽으며 그 차이와 차이의 의미를 밝혀보고자 한다. 그것은 여성작가의 입장에서 『태풍』을 다시 쓰며 워너와 클리프가 찾고자 했던 새로운 미란다의 모습이 얼마나 우리에게 설득력 있게 다가오는가를 묻는 일이 될 터이고, 또 『태풍』 다시쓰기로서의 이 소설들의 의의와 성취를 가늠해보는 일이기도 할 것이다.

마리나 워너의 『인디고』

마리나 워너는 『인디고』를 집필하게 된 동기를 다음과 같이 밝힌다.

부정되고 지워진 크리올로서의 내 가족의 과거사는 『인디고』 창작의 영감이 되었습니다. 우리 가족이 프로스페로의 도적질, 그 제국 수립 행위와 너무도 닮아 있는 사업에 관여했기 때문에, 나는 그 사건을 점검하고 소설을 통해 시코락스와 에어리얼, 캘리번의 삶과 문화를 상상해야 해야만 한다고 느꼈습니다. . . . 나는 섬의 소음들 속에서 그들의 목소리

를 듣고 싶었습니다.[180]

워너의 이 발언은 그녀가 『태풍』 다시쓰기에 나서게 된 배경에
'현대 미란다'의 한사람으로서 그녀가 느끼는 죄의식과 역사적 책임감
이 깊이 자리 잡고 있음을 보여준다. 따라서 그녀에게 이 소설은 바로
자신의 가족사이기도 한 서구제국들의 식민사를 반성하고 다시 쓰는
일이면서, "미란다의 덫"을 거부하고 새로운 미란다의 이야기를 쓰는
일이기도 하다.

『인디고』는 『태풍』의 미란다의 후예인 20세기 미란다의 이야기로
시작한다. 그녀는 워너처럼 식민지 개척자의 후손이지만 워너와는 달
리 식민지 원주민의 피가 섞인 혼혈로서, 그녀의 신체 자체가 식민지
배의 역사를 담고 있는 존재이다. 워너는 아버지의 역사의 산물인 이
미란다에게 새로운 플롯을 써주기 위해, 20세기 미란다의 이야기와 17
세기 그녀의 선조들의 이야기를 병치한다. 소설은 20세기에서 시작해
17세기로 거슬러 올라가며, 다시 20세기로 돌아와 마무리된다. 워너가
이렇듯 두 시점의 이야기를 병치하는 이유는 우선 미란다의 새로운
이야기는 그녀를 만들어낸 과거를 제대로 아는 것에서부터 시작한다
고 믿기 때문이며, 또 체드조이의 지적처럼 독자들이 피해자인 식민지

---

180) Marina Warner, "Between the Colonist and the Creole," *Unbecoming Daughters of the Empire*, eds. Shirley Chew and Anna Rutherford (Hebden Bridge: Dangaroo, 1993) 201.

주민들과 손쉽게 감상적으로 동일시할 위험을 경계하기 위함이다.[181] 워너는 식민지 지배의 역사가 과거 식민지 국가의 주민들뿐 아니라 가해자인 식민지 지배자의 후손들의 삶에도 어떻게 깊은 상처를 남겼는가를 보여주고자 하며, 20세기 새로운 미란다의 이야기를 통해 피해자와 가해자 모두가 이 역사의 덫에서 벗어나는 길을 찾고자 한다.

『태풍』이 프로스페로가 이미 캘리번의 섬을 장악한 상황에서 시작한다면, 워너가 새로 쓴 17세기 식민사는 프로스페로적 인물인 키트 에버라드(Kit Everard)가 섬에 도착하면서 시작한다. 워너가 그린 키트 에버라드의 식민화 과정은 파괴적이며 폭력적이다. 에버라드와 그의 일행은 돈이 되는 작물을 재배하기 위해 자연을 파괴하며, 수 천 년 간 존재해온 섬의 나무와 열대우림은 그들의 손에 의해 담배와 사탕수수를 기르기 위한 밭으로 변모한다. 식민화는 섬의 주민들의 삶도 파괴하는데, 소설은 "약 400년 전 그날, 그들에게 모든 것이 바뀌었다"(140)는 말로 유럽인들의 도착으로 섬의 주민들의 삶에 벌어진 급격한 변화를 강조한다.

워너는 키트 에버라드 일행의 식민지 개척과정을 그리며 자신의 선조인 토마스 워너의 실제 식민지 개척사를 참조한다. 이를테면 키트 에버라드가 식민화한 캐리비안해의 리아무이가(Liamuiga) 섬은 가공의 섬이지만 토마스 워너가 17세기 식민화한 세인트 키츠(St. Kitts) 섬과 지리적으로 거의 일치한다. 그리고 그 외에도 토마스 워너가 1622년에

---

181) Chedgzoy, 앞의 책 124.

세인트 키츠 섬에 정착했다면, 키트 에버라드는 1618년에 리아무이가 섬에 도착하며, 토마스 워너의 섬 지배가 1626년 블러디 포인트 전투(the Battle of Bloody Point)에서 수천 명의 원주민 학살을 통해 이루어졌다면, 워너는 이를 약간 변형해 1620년 슬룹스 바이트 전투(the Battle of Sloop's Bight)에서 수백 명의 원주민을 학살하고 키트 에버라드가 섬의 지배권을 장악하는 것으로 그리고 있다.[182] 키트 에버라드 일행의 폭력적인 식민지 개척과정은 그리 새로울 것이 없는 잘 알려진 이야기이다. 하지만 그렇다고 감동이 없는 것은 아니다. 워너는 섬을 셰익스피어의 인물들로 채우며 그 인물들을 재창조해서 『태풍』이 지워버리고 침묵시킨 섬의 원주민들을 복합적이며 깊이를 지닌 인물들로 그려낸다. 20세기 중반의 탈식민주의적 『태풍』 다시쓰기가 캘리번을 재창조하는 것을 목표로 삼았다면, 워너가 특히 정성을 기울여 형상화하는 것은 여성인물인 시코락스(Sycorax)와 에어리얼(Ariel)이다.

『태풍』에서 이름만 등장하는 시코락스는 프로스페로에 따르면 사악한 마법을 쓰며 악마와 교접해 캘리번을 낳은 "추악한 마녀"(foul witch, 1.2.263)이며, 그녀의 존재는 프로스페로가 그녀 대신 섬의 주인이 되어 캘리번과 에어리얼을 지배하는 것을 정당화하는 역할을 한다. 워너의 『인디고』에서도 그녀는 "초자연적인 통찰력과 힘을 지닌 존재"(86)이지만 그녀의 "초자연적인 힘," 즉 치유력은 오랜 경험과 관찰

---

182) Eileen Williams-Wanquet, "Marina Warner's *Indigo* as Ethical Deconstruction and Reconstruction," *Critique*, 46:3 (Spring 2005): 269-270 참조.

에서 나온 것으로 그려진다. 그런데 평범하지 않은 능력을 지닌 여성인 그녀는 섬의 주민들에게도 두려운 존재이다. 시코락스가 해안에 밀려온 죽은 흑인 여성 노예의 자궁에서 둘레(Dulé 캘리번)를 꺼내 살려낸 뒤 스스로를 추방하고 '마녀'와 같은 존재가 되어가는 과정은, 서양인들이 도착하기 전에도 이 섬에서 여성은 가부장적 위계와 이데올로기의 굴레에 예속된 존재임을 보여준다. 섬의 주민들은 그녀가 둘레를 구해낸 행위를 "마법"에 의한 것으로 믿으며, 몇몇 이들은 "그녀가 길들인 짐승 중 한 마리와 교접해서 낳은 자식이다"라고까지 수군거린다. 그리고 나이든 마누라가 썩 만족스럽지 않았던 시코락스의 남편은 이 사건을 핑계로 "여자주술사"로 판명 난 부인을 친정으로 돌려보낸다(85-87).

케익브레드(Caroline Cakebread)는 이 일화를 근거로 워너가 시코락스와 에어리얼이라는 인물을 통해 "원주민여성들에게 식민경험은 하나의 식민형태(가부장제)에서 또 다른 식민형태(백인남성/제국주의)로의 전환에 불과함을 보여준다"고까지 주장한다.[183] 하지만 결코 두 가지 "식민형태"에서 여성인물들의 처지가 동일하다고 볼 수 없으며, 또 워너가 두 가지 식민형태를 동일한 비중으로 비판하고 있다고 볼 수도 없다. 다만 한 가지 분명한 것은 워너가 여성인물의 눈으로 식민사를

---

183) Caroline Cakebread, "Sycorax Speaks: Marina Warner's *Indigo* and *The Tempest*," *Transforming Shakespeare: Contemporary Women's Re-Visions in Literature and Performance*, ed. Marianne Novy (London: MacMillan, 1999) 228.

다시 쓰며 가부장제와 식민주의를 대비하며 그 둘이 어떻게 (특히 원주민) 여성을 침묵시키고 비인간화하는 이중의 족쇄로 작용하는지를 탐구하고 있다는 점이다. 워너는 여성 인물들이 "두개의 위계적 체계인 가부장제와 식민주의가 강요한 침묵을 극복하기 위해 다양한 방식으로 힘겹게 싸워"[184]나가는 모습을 극화한다.

에어리얼의 운명은 이중의 타자인 원주민 여성이 식민지 건설과정에서 겪는 경험을 상징적으로 보여준다. 탈식민주의 평자와 작가들에게 에어리얼은 캘리번과 대조되는, 식민지 지배자들과의 "타협과 화해를 옹호하는 중재자"이자 "굴욕적 태도를 지닌 인물"로 해석되었지만,[185] 워너는 그녀가 백인남성에게 이른바 '협조'하게 되는 과정을 여성의 처지에 대한 연민이 어린 시선으로 형상화한다. 워너의 소설에서 에어리얼은 백인의 노예였던 아라와크(Arawak)족이 버리고 간 이방인으로, 시코락스에게 맡겨져 고립된 채 성장한다. 에어리얼이 섬을 침탈하고 시코락스와 자신의 육체와 삶을 파괴한 키트의 여인이 되는 과정은 '어머니' 시코락스의 숨 막히는 보살핌에서 벗어나 독립적 여성이 되고자 하는 그녀의 자연스러운 욕망과 맞물리고 있으며, 그녀가 키트와의 관계에서 처음으로 여성으로서의 힘을 맛보는 것으로 그려진다. 워너의 소설에서 에어리얼은 자신들의 욕망을 위해 그녀를 통제하려고 하는 두 주인(시코락스와 키트)사이를 오고가면서 어디에도 속

---

184) Cakebread, 같은 글 226.
185) Williams-Wanquet, 앞의 글 275.

하지 않은 채 자유롭기를 갈망한다. 이후 그녀는 일견 무책임했던 자신의 행보를 반성하고, 영국인들에 대항한 둘레의 투쟁에 동참하고자 하지만, 실패하고 다시 사로잡힌 존재가 된다.

에어리얼이 섬이 완전히 백인들에게 넘어간 뒤, 키트와의 사이에서 난 아이와 부상당한 시코락스를 보살피며 목소리를 잃어가는 모습은 "잡종아를 부양하며, 새로운 주인들의 욕망에 따라 모습을 바꾸어가는 섬의 새로운 얼굴",[186] 섬 원주민 여성의 모습을 상징적으로 보여준다.

그녀는 말을 안했다. 마치 그녀는 이제 목소리를 잃고, 그녀 머리는 다른 사람들이 요구를 두들겨대는 텅 빈 북이 된 듯 보였다. (173)

앞서 지적한대로 이 소설은 과거의 식민사를 재구성할 뿐 아니라 그 역사가 어떻게 현재에도 계속되고 있는지, 즉 과거의 역사가 현재에 어떤 결과와 상처를 낳았는지를 보여준다. 식민의 역사는 과거 식민지 국가들뿐 아니라 식민지 지배자의 후손들의 삶에도 큰 영향을 미치고 있는데, 워너의 초점은 특히 20세기 미란다의 "가족 내의 혼돈"(303)을 통해 후자를 탐색하는 것이다. 20세기의 이야기는 미란다의 가족이 잔테(Zanthe: 미란다의 고모이자 아버지 키트의 여동생)의 세례식에 참석하기 위해 준비하는 장면으로 시작하는데, 이 에피소드는 "가

---

186) Cakebread, 앞의 글 229.

족 내의 혼돈"을 잘 보여주는 장면이다.

장면은 미란다의 어머니 아스트리드(Astrid)가 어린 시누이의 세례식에 입고 갈 변변한 옷 한 벌이 없다고 히스테리를 부리는 모습으로 시작한다. 키트는 아내를 달래보려 하지만 부부간의 격렬한 말다툼으로 이어지며 결국 키트와 어린 미란다만 세례식에 참석하게 된다. 표면적으로만 보자면 사소한 이유로 시작된 "가족 내의 혼돈"에는 뿌리 깊은 이유가 존재한다. 키트는 동명이인인 17세기 식민지 개척자의 후손이지만 진정한 후계자는 아니다. 키트 에버라드의 후손인 안소니 에버라드(Anthony Everard)와 원주민 여성 사이에 태어난 그는 "흑인의 피가 섞인"(22), 영국인도 섬주민도 아닌 중간자적 존재이며, 아버지에겐 늘 실망스러운 아들이었다. 따라서 그는 늘 아버지의 세계에 반쪽뿐이 아니라 온전히 소속되기 위해,—아스트리드의 표현에 따르면—"그들의 작은 개"(18)처럼 아버지를 기쁘게 하려고 안간힘을 쓰고 있다. 키트와 아스트리드의 격렬한 말다툼은 중간자적 존재로서 그가 경험해야 했던 자존감의 결여와 굴종적인 처지가 낳은 분노를 보여주며, 오빠와 달리 불순한 피가 섞이지 않은 진정한 후계자인 잔테의 탄생은 미란다 "가족 내의 혼돈"이 전면으로 터져 나오는 계기가 된다.

20세기 이야기의 중심은 식민지 개척자의 후손이지만 아버지 키트처럼 "황갈색 피부"(5)를 지닌 중간자적 존재인 미란다이다. 미란다는 격렬하게 싸우는 부모 밑에서 마치 부모의 갈등이 자신의 책임인 듯 죄의식을 느끼며, 서로에게만 몰두하는 부모사이에서 "보이지 않는 존재"(240)가 될지도 모른다는 두려움을 안고 성장한다. 부모에게서 자존감을 배우지 못한 그녀는 아버지 키트가 그랬듯이 "언제나 막대기를 쫓아가고, 막대기를 던진 사람을 기쁘게 하기 높이 뛰어 오르며, 막대기를 물고 꼬리를 흔들며 달려오곤 하는 동작을 (주인이) 원하는 만큼 되풀이"(240) 하는 개처럼 주위사람들을 기쁘게 만들기 위해, 그래서 세상에서 사라지지 않기 위해 애쓴다. 미란다의 이 태도는 아버지 키트와 달리 그녀가 '아버지의 개'이기를 거부하고 자신의 흑인성을 인정한 뒤에도 지속된다. 워너는 "가족 내의 혼돈"에서 습득한 미란다의 이 태도가 식민의 역사가 식민지 개척자의 후손이면서 "황갈색 피부"를 지닌 중간적 존재인 그녀에게 남긴 상처이며, 그를 극복하는 것이 그녀가 "미란다의 덫"에서 진정으로 벗어나기 위해 해결해야 할 과제임을 이야기한다.

미란다와 캘리번의 마법같은 화해

『태풍』과 마찬가지로 『인디고』가 제기하는 핵심적 질문은 과연 역사의 덫에서 벗어나 화해가 가능한가이다. 『태풍』에서 그 탐색의 주체가 아버지인 프로스페로였다면, 『인디고』에서 그 질문을 던지는 이는 딸 미란다이며 소설은 그녀가 20세기의 캘리번적 존재인 조지 펠릭스(George Felix)와 사랑을 이루어가는 과정을 통해 그 가능성을 모색한다. 미란다와 조지 펠릭스의 첫 만남은 20세기의 인물인 그들에게 식민주의의 역사가 어떤 상처와 장애를 남겼는가를 잘 보여주는 장면이다.

조지 펠릭스는 시코락스의 섬에서 태어나 영국과 미국에서 교육을 받고 영국에서 활동 중인 흑인 배우이다. 둘의 첫 만남은 미란다가 대안잡지인 『블롯』(Blot)의 기자로 흑인문제를 다루는 영화를 취재하기 위해 조지가 배우로 참여한 촬영 현장을 방문하면서 이루어진다. 조지는 현장을 촬영 중인 미란다의 카메라를 빼앗으며, 타자를 이해한다고 하면서 결국 타자의 이미지를 상품화하는 백인 자유주의 부르주아지들에 대한 역겨움과 분노를 미란다를 향해 거칠게 표현한다(265). 식민역사가 낳은 캘리번들의 분노와 적대감이 조지의 입을 통해 표현되는 셈인데, 특히 식민개척자의 후손으로서의 정체성을 부정하고 흑인들과의 유대를 인정한 미란다에게 이 경험은 커다란 충격으로 다가온다.

미란다는 이유는 있지만 그녀에겐 매우 무례하다고 할 수 있는 조지의 분노를 마주하고 화를 내기는커녕 변명하고 싶어 한다. 자신은 조지가 분노하는 백인들과는 다르며, 그녀의 몸에도 섬의 원주민의 피가 흐르고 있다고. 그리고 이후 조지가 그녀에게 사과하기 위해 찾아왔을 때 "애완견처럼 그의 분노의 입을 멈추기를 갈망하며"(279) 같이 밤을 보낸다. 워너는 미란다의 이 행동에 대해 미란다가 "미안해하지 않는 법을 배워야 한다"(281)고 작가로서의 코멘트를 덧붙이며, 미란다가 자신의 조상들이 저지른 식민역사에 대해 느끼는 죄책감에 건강하지 못한 측면이 있음을 지적한다. 왜냐하면 과거를 알고 그에 대해 죄책감과 책임감을 느끼는 것은 옳은 일이지만, 책임을 느끼는 것과 아버지의 역사의 피해자인 그들을 기쁘게 하기 위해-마치 아버지를 기쁘게 하기 위해 애썼듯이-무슨 일이든지 다 하는 것은 엄연히 다른 일이기 때문이다. 조지(캘리번)와 미란다의 화해가 가능하기 위해서는 -조지의 표현대로-"우리들이 갖고 있는 지긋지긋한 질시와 너희들이 품고 있는 그 지긋지긋한 죄의식"(394)에서 벗어날 필요가 있는 것이다.

『태풍』이 미란다와 퍼디난드의 결혼으로 막을 내렸다면, 『인디고』는 미란다와 조지(캘리번)의 결합으로 마무리된다. 둘의 재회는 미란다가 백인들이 준 조지라는 이름을 버리고 샤카 이페타베(Shaka Ifetabe)로 다시 태어난 그의 사진을 찍기 위해 그를 찾아가면서 이루어진다. 미란다는 마침 캘리번으로 분한 샤카가 동료들과 함께 『태풍』 1막 2장의 미란다와 캘리번의 분노에 찬 대화를 연습하는 장면을 보게 되며, 불현듯 "저주도 넘어서고 분노의 목소리도 넘어선 새로운 언어"(388)를 배우고 싶은, 그래서 샤카와 새로운 언어로 새로운 관계를 만들고 싶은 갈망을 느낀다. 물론 워너는 아버지의 역사의 산물들인 20세기의 미란다와 샤카가 새로운 언어를 배우는 것이 결코 쉽지 않은 일임을 잘 알고 있으며, 워너의 미란다 역시 현실은 셰익스피어의 "착한 희극"들과는 너무도 다르다는 것을 잘 알고 있다.

> 그녀는 셰익스피어의 착한 희극 작품들 속에, 마법 같은 화해가 일어나고 싸움을 중지하고, 양보하고, 고통이 멈추는 그의 후기작들 속에 살고 있지 않았다. . . . 세기말의 진짜 세계인 그녀의 세계에서는 파손과 관계의 단절이 유일하게 가능한 결과였다. (391)

하지만 그럼에도 불구하고, 미란다는 샤카와 새로운 사랑을 시작하며, 워너는 이 둘이 맺어짐을 통해—셰익스피어가 『태풍』에서 그랬듯이—미란다와 캘리반의 "마법 같은 화해"(391)를 꿈꾼다. 그리고 소설은 더 나아가 이 둘이 사랑을 이루어가는 과정을 캘리번의 섬이 온전한 정치적, 경제적 독립을 이루기 위해 싸워가는 모습과 병치시킨다. 소설에 등장하는 또 한 명의 캘리번적 인물인 압둘 말리크(Abdul Malik)가 이끄는 "빛나는 순결단"(Shining Purity)은 명목상으로 독립국가가 되었지만 정치적, 경제적으로 여전히 섬을 지배하고 있는 서구와 서구의 협조자들을 섬에서 무력으로 몰아내기 위해 무장 쿠데타를 일으키며, 비록 쿠데타는 실패하지만 그것은 서구의 꼭두각시였던 섬의 정치지도자들을 몰아내고 섬의 개혁을 시작할 기회를 마련해준다. 새로 섬의 지도자가 된 아탈라 시코울(Atala Secole)이 더 이상 우리의 아이들을 백인의 하인들로 키우지 않겠다고 선언하며, 이 선언에 화답해 죽었지만 죽지 못한 채 섬을 떠돌던 시코락스의 영혼이 아탈라와 그녀의 다짐을 축복한다. 그리고 소설은 마침내 섬을 떠돌던 소음들이 멈추는 환상적 장면을 통해 신/식민주의를 넘어선 서구와 제 3세계 간의 정말로 마법 같은 화해를 기원한다.

미셸 클리프의 『하늘로 통하는 전화는 없다』

『인디고』가 등장인물들의 이름과 플롯의 전개 등에서 『태풍』의 다시쓰기임을 분명히 한다면, 미셸 클리프의『하늘로 통하는 전화는 없다』에서『태풍』에 대한 직접적인 언급은 캘리번의 이름이 한번 나오는 것에 불과하다. 하지만『하늘로 통하는 전화는 없다』의 주인공인 클레어(Clare Savage) 역시 작가 클리프와 닮은 점이 많은 미란다적인 인물이다. 그녀는 작가인 클리프가 그랬듯이 자메이카에서 출생했지만 미국과 유럽에서 공부하며 서구 문명의 혜택을 입은 인물로, "식민주의자들의 세계를 대변하고 그들의 가치를 유포하도록 … 선택된, 식민화된 아이"[187]이다. 작가는 "사이 존재"로서의 그녀의 정체성을 클레어 새비지라는 이름을 통해서도 표현한다. 하얀색을 의미하는 클레어(Clare)라는 이름은 그녀가 자메이카 백인 농장주의 후손이자 백인의 교육을 받은 인물임을 나타낸다면, 새비지(Savage)는 그녀의 하얀 피부 아래 숨겨진 자메이카 흑인의 피를 시사한다. 클리프는 바로 자신의 모습이기도 한 클레어가 아버지의 플롯을 벗어나기 위해 싸워가는 모습을 통해−워너가 그랬듯이−새로운 미란다의 이야기를 쓰며 "미란다의 덫"에서 벗어나는 길을 모색하고 있다.

클레어의 이야기는 백인 크리올 농장주의 후손으로 자메이카에서 특권적 지위를 누리던 아버지 보이 새비지(Boy Savage)가 1960년 도박빚을 피해 도망치듯 가족들을 이끌고 미국으로 이주하면서 시작한다.

---

187) Michelle Cliff, "Clare Savage as a Crossroads Character," *Caribbean Women Writers: Essays from the First International Conference,* ed. Selwyn Reginald Cudjoe (Wellesley: Calaloux, 1990) 264.

『태풍』의 프로스페로나 『인디고』의 키트 에버라드가 신천지를 찾아 제 1세계를 떠나 제 3세계를 찾아갔다면, 보이 가족은 새로운 삶을 꿈꾸며 제 3세계를 벗어나 다시 제 1세계를 향한다.

보이 가족의 이주는 클레어가 런던에서 접한 "우리가 여기 있는 것은 너희들이 거기 있었기 때문이다"(137)라는 흑인대학생들의 구호대로 결국은 프로스페로들의 이주가 낳은 결과이다. 왜냐하면 보이가 이주를 결심하게 된 직접적 동기는 도박 빚이라는 개인적 사정이었지만, 그의 가족의 이주는 1970년대 이후 본격화된 제 3세계 중산층의 대규모 이탈의 움직임과 동일한 방향을 향하며, 중산층의 이주를 추동한 것은 프로스페로들의 식민화의 산물인 독립국가 자메이카의 무능과 가난, 그리고 폭력이기 때문이다. 자메이카는 정치적 독립을 이루었지만 프로스페로들의 지배가 남긴 피부색의 위계에 따른 엄격한 계급사회와 저개발로 곤경에 처해있으며, 클리프의 소설에서 자메이카인들은 기회만 있으면 마치 쥐가 침몰하는 배를 버리듯이 조국 자메이카를 버리고 1세계로 떠나고자 한다. 따라서 『인디고』에서와 마찬가지로 클리프의 소설에서도 『태풍』의 역사는 과거형이 아니라 현재진행형이다.

하지만 두 소설의 초점은 다르다. 워너의 초점이 미란다의 "가족 내의 혼돈"을 통해 식민의 역사가 식민지 지배자의 후손들에게 어떤 상처를 남겼는가를 보여주는가에 있었다면, 클리프는 자메이카인 보이 가족의 이주와 그 실패담을 통해 수세기의 식민화가 식민지 국가 주민들의 삶을 어떻게 왜곡시켰는가를 보여주고자 한다. 그리고 그에 반발하는 클레어의 서사를 통해 식민지 국가 주민들이 그를 극복하기 위해 "기도하는 것 말고"(160) 무엇을 해야 하는가를 묻는다.

클레어의 가족이 미국으로 갈 수 있었던 것은 클레어 삼촌의 지적대로, 그들이 모든 자메이카인들이 탈출을 꿈꾸며 바라는 "기회"(110), 즉 '흰 피부색과 돈'을 가진 자메이카의 특권층이었기 때문이다. 마치 프로스페로가 섬에서 새로운 세계를 꿈꾸었듯이, 보이는 미국에서 자신이 가족들에게 새로운 삶을 열어줄 수 있을 것이라고 기대하지만 그의 기획은 실패할 수밖에 없다.

미국에 도착한 보이 가족을 맞이한 것은 그들이 기대하던 자유의 여신상이 아니라, 마이애미의 한 버려진 NAACP(미국흑인지위향상협회) 사무실 창문에 적힌 "어제 한 남자가 린치를 당했습니다"라는 경고문이다. 미국은 클레어의 가족이 떠나온 자메이카보다 훨씬 더 엄격한 인종차별이 지배하는 사회이다. 서구 제국주의의 필요에 따라 세계 각지에서 유입된 다양한 인종의 이주민들과 그들의 후손들로 구성된 자메이카가 피부색에 따라 사회적 지위를 나누는 정교한 인종분류법을 만들어냈다면, 미국은 순수한 백인과 그 외의 인간으로 사람을 나누는 곳이다. 클레어의 가족은 미국에서 계속해서 자신의 인종적 정체성을, 즉 '불순한 피'가 단 한 방울도 섞이지 않았음을 증명할 것을 요구받는다. 미국에 도착한 첫날 밤 머물기 위해 찾아간 남부 모텔의 주인은 보이에게 "검둥이"가 아닌지 묻고, 확인하고자 하며, 클레어의 입학을 위해 방문한 뉴욕의 한 학교 교장은 살구 빛 피부를 가진 자메이카인이면서 백인임을 주장하는 보이를 "하얀 초콜릿"(99)이라고 경멸적으로

부른다. "하얀 초콜릿"은 '불순한 피'가 섞였으면서 하얀 피부색으로 백인행세를 하는 흑인을 지칭하는 표현으로 이 일화는 미국사회 지배층의 인종적 순수성에 대한 편집증적 집착과 그 아래 깔린 타자에 대한 두려움을 잘 보여준다.

자메이카에선 특권층이었지만 미국에서는 그저 가난한 과거 식민지 국가에서 건너온 "하얀 초콜릿"에 불과함을 깨닫게 된 보이가 살아남기 위해 택한 전략은 그의 살구 빛 피부색에 남아있는 흑인의 피를 부정하고 백인 농장주의 후손이라는 백인성만을 인정하는 것이다. 그리고 그는 가족들에게도 "백인으로 행세할 것"(52)을 조언하는데, 그것은 결국 "보이지 않는 존재가 될 것. 자신을 지울 것. 섞여들 것. 위장을 할 것"(100)을 의미한다. 하지만 아버지 보이와 달리 어머니 키티(Kitty)는 미국사회에 "섞여" 드는데 실패한다. 그것은 남편보다 검은 그녀의 피부색 탓이기도 했지만, 그보다는 그녀가 카리브문화에 대한 자부심이 컸고 또 흑인들의 처지에 대해 공감했던 인물이었기 때문이다. 결국 키티는 남편 보이와 아버지를 더 좋아하던 큰 딸 클레어를 미국에 남겨둔 채, 자신이 크리올로서 특권을 누렸던 자메이카로 돌아간다. 따라서 미국에서 새로운 삶을 꿈꾸었지만 결국 자신을 지우고 미국사회의 하층민으로 살아가는데 만족하는 보이의 이주는 미국의 꿈의 실패담이기도 하다

소설은 아버지의 이주가 클레어를 어떻게 어머니(고향)와 분리시키고 "분열되고 훼손되며 불완전한 존재"(188)로 만드는가를 보여준다. 미국에 남아 백인으로 살아가기를 선택한 아버지와 더 이상 백인행세

하기를 거부하고 자메이카로 돌아간 어머니 사이에서 클레어는 극심한 정체성의 혼돈을 느끼면서 성장한다. 특히 클레어의 혼돈은 "자신을 지우기"를 요구하는 아버지에 대한 반발과 또 자신을 버리고 간 흑인 어머니에 대한 그리움과 원망으로 한층 심화된다. 조지는 클레어가 자신처럼 미국인으로, 백인으로 살아가기를 원하지만 클레어는 오히려 미국 내의 흑인민권운동에 관심을 기울이며 자신의 흑인성에 대한 의식을 키워간다. 그리고 어머니의 죽음을 계기로 마침내 아버지에게 맞서 '어머니도 흑인이었고 자신도 흑인이다'라고 선언하며 자신의 흑인성을 인정하기에 이른다(104).

그런데 클레어는 자신의 흑인성을 인정한 후에도 자메이카로 돌아가는 대신에 영국으로 향하며, 영국이 자메이카 크리올의 "모국"이기에 "크리올의 논리"를 따른 것이라고 합리화한다(109). 이경란의 지적처럼 클레어의 영국행이 크리올이라는 특권적 정체성 뒤에 숨어 자신의 인종적 정체성의 혼란을 봉합하려는 도피적 행위라면,[189] 그것은 클레어가 아직 자메이카로 돌아갈 준비가 되어있지 않으며 영국에서 배워야 할 것이 남아있음을 의미한다. 왜냐하면 백인이기를, 미국의 시민이기를 포기하고 자메이카로 돌아간다고 하더라도 '어떤' 자메이카인으로 돌아갈 것인가의 문제가 남는 것이기 때문이다. 앞서 이야기

---

188) Cliff, "Clare Savage" 265.
189) 이경란 「초국가적 이주와 인종화된 포스트식민정체성의 정치학: 미셸 클리프의 『하늘로 통하는 전화는 없다』」『안과밖』제 28호 (2010 상반기) 386.

했듯이 자메이카는 미국과는 다르지만, 피부색의 옅고 짙음에 따라 "많은 이들이 태어나면서 자동적으로 나뉘는 것이"(4) 당연시되는 인종적, 계급적 위계가 엄존하는 사회이다. 클리프는 클레어가 이 시기에 영국과 또 방문차 들른 자메이카에서 겪는 여러 경험들을 통해 클레어에게 남겨진 과제가 크리올로서의 특권을 유지하는 것이 어떻게 현실에 눈을 감고 지배에 동조하는 일인가를 깨닫는 것임을 분명히 한다.

클레어의 이 과제를 가장 잘 보여주는 것은 클레어가 자메이카를 방문한 시기에 벌어진 크리스토퍼(Christopher) 사건이다. 크리스토퍼는 자메이카 수도인 킹스톤(Kingston) 교외에 위치한 빈민촌인 "덩글"(Dungle), 즉 "똥덩어리 정글"(dung-heap jungle) 출신이다(32). 아이들과 여자들이 거리를 뒤져 모은 함석판과 상자들로 지어진 판자집으로 이루어진 이곳, 비위생적인 환경과 영양결핍 때문에 팔과 다리가 활처럼 굽은 아이들이 먹을 것을 찾아 쓰레기통을 뒤지러 도시로 나간 엄마를 기다리는 이곳은 자메이카의 다수 흑인들이 처한 비참한 상황을 상징적으로 대변하는 장소이다. 덩글을 만든 것이 외부의 적인 서구가 아니라 바로 자메이카인들 자신, 즉 자메이카 사회의 인종적, 계급적 위계라는 점은 그 곤경을 더 절망적이며 해결하기 어려운 것으로 만든다. 덩글에서 나고 자란 크리스토퍼는 크리스마스 날 밤 고용주인 찰스(Charles)에게 죽은 할머니를 묻을 땅을 요구하다 거절당하자 찰스의 가족 전원을 도끼로 잔인하게 살해한다.

클리프는 한 인터뷰에서 크리스토퍼를 리차드 라이트(Richard Wright,

1908~1960)의 소설 『토박이』(*Native Son*, 1940)의 주인공인 비거 토마스 (Bigger Thomas)에 비유하며 그 사건을 통해 어떻게 사회가 살인자를 만들어내는지를 보여주고 싶었다고 이야기한다.[190] 클리프의 이 의도는 소설이 크리스토퍼의 살해 장면과 그 사건이 벌어지던 날 밤 찰스의 아들인 폴 H.(Paul H.)가 다른 상류층 자제들과 함께 호화롭고 난잡한 파티를 즐기는 장면을 함께 보여주는 것에서도 드러난다. 자메이카 지배층은 크리스토퍼 사건에 대해서 듣고도 계속해서 파티와 일광욕을 즐기며 이 사건을 자신들과 아무 관련이 없는, 그저 무례하고 술에 취한 청년의 미친 짓에 불과한 것으로 여긴다.

크리스토퍼 사건은 클레어에게 자메이카 지배층과 마치 앵무새처럼 미소 짓고 있는 대영제국인 수장인 여왕 중 누가 더 경멸을 받아야 할 존재인가라는 질문을 던지게 한다(90). 이 질문은 클리프가 클레어의 서사를 묘사하는 중간 중간에 자메이카의 현실을 보여주며 계속해서 묻고 있는 것이기도 하다. 크리스토퍼를 만든 것은 다른 누구도 아닌 바로 "주인의 과거를 자신들(우리 자신의) 것으로" 삼은 자메이카인들이라는 자각이 담긴 이 질문을 작가를 대신해 가장 분명하게 표현하는 이는 클레어의 동지이자 친구인 해리/해리어트(Harry/Harriet)이다.

그런데 이곳에서 우리는 과거의 사람들이야. 사람들을 채찍으로 매질할 정도로 과거에 속해있지. 사람들이 노예들이 먹던 대로 옥수수가루와

---

190) Cliff, "An Interview" 613-614.

마른 생선만으로 살아갈 수 있을 거라고 생각해. 호텔에는 플랜테이션 인이나 상 수시(Sans Souci)라고 이름을 붙이지 . . . 특이한 과거지. 왜냐하면 주인의 과거를 우리자신의 것으로 받아들인 것이니까. 그게 위험한 것이지. (127)

흑인 여전사의 탄생과 실패, 그리고 '희망'

따라서 클레어가 마침내 자메이카로 돌아가기로 결심할 때 그것은 그녀의 어머니처럼 크리올로서가 아니다. 그것은 "주인의 과거를 우리자신의 것으로" 받아들여 "영국인들보다 더 영국적인"(203) 억압과 착취의 계급체계를 만들어낸 자메이카, 자신의 어머니와 아버지 같은 크리올들이 덩글의 희생을 토대로 특권을 유지하며 사는 자메이카를 바꾸는 투사로서이다. 그리고 이것은 동시에 자메이카를 속박하고 있는 "주인의 과거"를 벗어버리고 자메이카의 새로운 과거, 곧 역사를 쓰기 위해서이기도 하다. 클레어는 자메이카에 돌아와 자메이카 혁명을 위해 투쟁하는 게릴라 집단에 가담하며, 할머니에게 물려받은 집과 땅을 운동을 위해 헌납한다. 그렇다면 클레어는 고향으로 돌아와 분열된 자아를 회복하고 자메이카의 새로운 역사이기도 한 새로운 미란다의 이야기를 쓰는데 성공하는가. 대답은 부정적이다. 클레어의 귀환은 작가 클리프의 표현대로 "비극적"(265)이다. 마리나 워너가 미란다와 캘리반의 새로운 사랑을 통해 "마법 같은 화해"를 꿈꾸었다면, 클리프는 클레어의 실패와 죽음을 통해 그것이 현실에서 얼마나 어려운 일인가를 이야기한다.

클레어도 워너의 미란다처럼 캘리반과의 연대/사랑을 꿈꾼다. 하지만 클리프의 소설에서 20세기의 캘리반들은 새로운 사랑을 시작하기에는 역사가 그들에게 남긴 상처가 너무 깊다. 소설에는 두 명의 캘리반적 인물이 등장한다. 리마(Maria Helena Lima)는 그 중 한 명인 크리스토퍼의 "복수"가 "진정으로 혁명적인 몸짓"을 보여준다고 의미를 부여하고 싶어 한다.191) 하지만 그것이 앞서도 지적했듯이 차별과 억압에 기초한 사회가 만들어낸 분노이자 "복수"인 것은 맞지만 그의 살해에서 새로운 사회를 여는 긍정적 움직임을 찾기는 힘들다. 작가자신도 밝히듯이 크리스토퍼의 살해는 "자기혐오"에 기초하고 있으며, 크리스토퍼가 백인인 주인집 가족들보다 자신과 처지도 같고 피부색도 같은 하녀 마비스(Mavis)를 한층 더 잔인한 방식으로 살해한다는 점은 이를 잘 보여준다. 크리스토퍼는 마비스에게서 자신을 보며 결국 그녀를 난도질하며 자신을 살해한다.

또 한 명의 캘리번은 클레어가 런던에서 만난 흑인 미국인인 보비(Bobby)이다. 그는 베트남전에 참전해 주인인 백인들의 개가 되어 베트남 여인을 농락하고 제초제를 뿌려 자연을 파괴하는데 참여했던 탈영병이다. 베트남전에서 그가 뿌린 제초제는 그에게 아물지 않는 육

---

191) Maria Helena Lima, "Revolutionary Developments: Michelle Cliff's *No Telephone to Heaven* and Merle Collin's *Angel*," *Ariel: A Review of International English Literature*, 24:1 (January 1993): 42.

체적 상처를 남겼고 또 그 경험은 그보다 더 깊은 정신적 상처를 남겼다. 클레어는 자메이카로 돌아가는 것까지 미루며 그에게 집착한다. 미란다가 "분노의 입을 멈추게 하기 위해" 조지와 밤을 보냈듯이, 클레어는 보비의 곁에서 갖은 방법을 써서 아물지 않는 그의 다리 상처를 아물게 해주고 싶어 한다. 하지만 클레어의 노력은 워너의 미란다와는 다르게 어떤 결실도 낳지 못한다. 보비는 클레어가 자신의 아이를 임신했다는 것을 알고 아무 말도 없이 클레어를 떠난다. 아물지 않는 상처처럼 보비가 끝까지 자신의 상처가 생긴 경위를 클레어에게 솔직하게 털어놓지 못하는 모습은 크리스토퍼와 마찬가지로 그가 안고 있는 역사의 짐이 새로운 희망, 관계를 꿈꾸기에는 너무도 무거움을 보여준다.

　워너가 기원하던 섬의 정치적, 경제적 독립도 클리프의 소설에서는 참으로 요원한 일로 그려진다. 소설은 클레어가 가담한 게릴라 부대가 다국적 자본의 영화 촬영 현장을 공격하는 장면으로 마무리된다. 『태풍』 다시쓰기의 마지막을 소설의 주인공인 클레어가 자메이카 토착 여전사인 내니(Nanny)의 투쟁 이야기를 할리우드식 삼류 사랑 이야기로 왜곡하려는 서구자본의 움직임에 맞서는 것으로 쓰고 있다는 점이 흥미로운데, 클레어의 이 싸움은 실패한다. 그것도 자메이카 군대의 공격을 받아 총 한번 쏴보지 못한 채로 말이다. 다국적 자본의 힘은 게릴라 내부인을 매수하고 자메이카 군대를 움직일 정도로 강력하며, 자메이카인들은 "한 푼을 위해서 무슨 짓이든 다 할 정도로"(202), 심지어 자신의 동료를 팔아넘길 정도로 허약하다. 이 공격으로 바로 내니의 후예인 클레어는 영화에 내니를 위협하는 야만인으로 출연한 크리스토퍼와 함께 사망한다. 그리고 자메이카 여전사를 멜로 드라마의 상투적 여주인공으로 만들려는 서구자본의 시도에 맞서는 클레어의 싸움도 실패한다.

클리프는 인터뷰에서 클레어는 실패했지만 소설의 결말이 비관적인 것은 아니라고 이야기한다. 그리고 클레어는 죽었지만, 그녀의 정신적 자매이자 동지인 해리/해리어트의 생사는 불분명하며 그것은 그들이 같이 시작한 싸움이 계속될 것임을 의미한다고 덧붙인다.[192] 클리프가 결코 낙관적이지 않은 소설의 결말에 해리/해리어트의 존재를 희망의 근거로 남기는 것은 특별한 의미가 있다. 왜냐하면 그녀는 크리스토퍼와 보비는 물론 클레어까지도 실패한, 서구역사의 짐과 이데올로기에서 벗어난 탈식민주체의 가능성을 보여주는 인물이기 때문이다.

남성(해리)으로 태어났지만 여성(해리어트)이 되기로 선택한 그녀는 어린 시절에 백인 영국 병사에게 강간을 당한 상처를 간직한 인물이다. 그런데 그녀는 자신이 백인 병사에게 당한 강간이 백인들의 지배 아래에 있는 자메이카인들의 집단적 경험의 일부일 뿐이지 "상징"임을 거부한다.

> 나는 살아오면서 **상징**이라고 생각하고 싶었어. 그가 내게 한 짓이 그들이 우리 모두에게 한 짓의 한 상징이며 우리 중의 누군가도, 많은 사람들이 역시 그 짓을 서로에게 하고 있다는 것을 언제나 기억하면서. 하지

---

192) Cliff, "An Interview" 602.

만 그것은 아니야. 나는 단지 내 어머니가 겪었던 일을 겪었던 것에 불과해. 그 이상도 그 이하도 아니야. 상징도 아니고 알레고리도 아니고, 플라톤의 이야기나 대화에 나오는 그 무엇도 아니지. 오, 아니야. 나는 그저 어린 흑인 소년의 항문에 박힌 거대한 백인 남자의 부푼 성기를 느낀 사람에 불과해. 그거야. 그것이 그 사건의 전부야. (129-130)

자신이 간직한 개인적 상처가 "상징"임을 부정하는 것은 그녀가, 그리고 자메이카인들이 집단적으로 겪고 있는 침탈이 인간의 힘으로 바꿀 수 없는 고정된 것으로 인정하지 않겠다는 선언이며 또 그에 맞서 싸우겠다는 선언이기도 하다. 물론 카텔리의 지적처럼 해리어트가 그려 보이는 "어린 흑인 소년"의 모습은 "거대한 백인 남자"의 욕망과 폭력 앞에서 너무도 무력해보이며, 이 이미지는 자메이카인들이 "거대한 백인 남자"로 대변되는 것들에 맞서 싸우는 것이 불가능에 가까울 정도로 어려운 것임을 다시 한 번 상기시키는 것이기도 하다.[193] 하지만 소설은 해리어트가 강간이 단지 "거대한 백인 남자의 부푼 성기를 어린 흑인 소년의 항문에 박은" 것에 불과하다고 여겼듯이, 자메이카인들이 서구 역사의 짐과 이데올로기에서 벗어나는 길은 지배와 종속의 현실을 인정하면서도 그것을 "상징"으로 인정하기를 거부할 때만, 즉 지배와 종속의 현실을 "상징"으로 당연시하지 않고 저항하기를 포기하지 않을 때만 가능하다는 것을 이야기한다.

---

193) Cartell, 앞의 책 114.

워너와 클리프의 차이와 그 의미

　워너와 클리프가 자신의 분신이기도 한 20세기 미란다들에게 마련한 결말은 너무도 대조적이다. 동일한 관심사에서 동일한 지역을 배경으로 삼아 불과 4년의 차이를 두고 나온 두 소설에서 발견되는 이 차이는 놀라우면서도 흥미롭다. 그 차이는 일차적으로 워너와 클리프가 서 있는 위치가 다르다는 점에서 나오는 듯하다. 마리나 워너의 미란다는 그녀의 몸속에 흐르는 카리브해 흑인의 피를 의식하고 또 그들과의 유대를 꿈꾸지만 그래도 그녀는 여전히 영국인이다. 미란다가 아버지의 기획을 벗어나기 위한 싸움의 과정에서 얻은 가장 중요한 인식 중 하나는 그녀가 아무리 캘리번들에게 깊은 죄의식과 책임감을 느낀다고 해도 자신은 결코 흑인이 될 수는 없다는 것이다(389). 흑인인척 하는 것이 답이 되기는커녕 자신과 세상을 속이는 일이 될 수 있다는 그녀의 깨달음은 타자를 공감의 대상으로 포섭하기를 경계하고 타자의 타자성을 인정한다는 점에서 소중한 깨달음이자 그녀가 캘리번들과 진정한 연대의 길로 나가는 첫걸음이라고 할 수 있다. 따라서 미란다의 선택은 '백인'으로서 이루어진 것이며 그녀의 선조의 식민의 역사로 시작된 역사의 질곡에서 벗어나기 위해 백인인 그녀가 할 일을 찾는 것이다.

　미란다는 의심과 주저가 없는 것은 아니지만 캘리번과 마법 같은 화해를 꿈꾼다. 그리고 이를 통해 신/식민주의를 넘어선 서구와 캘리번의 섬 간의 화해와 공존을 기원한다. 어떻게 보면 워너의 "마법 같은 화해"는 셰익스피어의 『태풍』처럼 현실을 변화시키는 인간의 힘에 희망을 거는 것이며, 그런 점에서 『태풍』에 저항하면서도 그 정신을 이어받는 것이라고 할 수 있다. 그런데 워너가 꿈꾸는 마법 같은 화해라는 것이 지나치게 낙관적이지 않은가라는 의심을 지울 수가 없다. 이 의심은 특히 그녀의 소설을 클리프의 소설과 함께 읽을 때 더 증폭된다.

희망이 설득력을 갖긴 위해선 희망을 방해하는 절망적 현실을 끝까지 보는 일이 먼저 필요하다. 하지만 워너가 찾은 희망이 과연 그런지는 의심스럽다. 클리프의 소설과 함께 볼 때 화해의 대상인 타자의 삶과 역사를 알려고 하는 워너의 의지가 너무 부족한 것이 아닌가라는 의심이 든다. 워너가 영국인이며 앞서 작품분석에서 지적했듯이 이 소설에서 그녀의 초점이 식민의 역사가 식민지 지배자들의 후손들에게도 남긴 상처를 살피는데 있다는 점을 인정한다고 해도, 20세기 섬의 상황에 대한 워너의 관심은 너무 표피적인 듯 보인다.

워너는 식민지 개척 350주년 기념식에 참석하기 위해 미란다가 아버지 키트, 고모 잔테와 함께 섬을 방문하게 되면서 20세기 섬의 모습을 형상화한다. 그런데 주로 미란다의 눈으로 그려지는 섬과 섬주민들의 모습은 그저 잠깐 다니러 온 관광객의 눈에 비친 그것일 뿐이다. 미국에서 공부하고 활동 중이지만 자메이카에서 나고 자란 클리프의 소설이 "주인의 과거를 우리자신의 것으로" 받아들여 "영국인들보다 더 영국적인"(203) 계급체계를 만들어낸 자메이카의 신식민적 상황을 핍진하게 그려냈다면, 워너는 섬 주민들의 모습을 가난하지만 선하고,

외국인을 증오하지만 또 그들을 두려워하는 낯설고 두려운 하나의 집단으로 형상화한다. 이를 통해 섬 주민들 간에 엄존하는 반목과 갈등을 지워버리며, 또 하나의 상투형을 창조한다. 이것이 문제적인 이유는 워너가 아탈라의 선언을 축복하며 그녀가 기원하는 바로 서구와 캘리번의 섬 간의 마법 같은 화해의 토대가 되기 때문이다. 그래서 워너가 꿈꾸는 화해는 현실에 기반하지 않은 그녀의 소원충족에 지나지 않게 되며 그녀가 이야기하는 희망은 허망하다.

워너의 소설에서 미란다의 서사를 감싸고 있는 세라핀(Serafine)의 우화 중 괴물 만지쿠(Manjiku)와 아마데(Amade) 이야기(217-226)는 워너가 이야기하는 '화해'가 허망함을 넘어 매우 위험한 이데올로기가 될 수도 있음을 보여준다는 점에서 흥미롭다. 만지쿠는 섬주민들이 만들어낸 이야기 속의 바다괴물이며, 자부스(Chantal Zabus)의 지적처럼 피부가 흰 바다괴물이 여인처럼 아이를 갖고 싶어 주로 섬 원주민 여인들을 삼키는 모습에는 섬과 섬의 여인들을 침탈한 유럽 침략자들의 모습이 담겨있다(143). 세라핀의 이야기 속에서 만지쿠는 진정한 사랑을 위해 스스로 목숨을 버리고 바다에 뛰어든 섬 원주민 여성 아마데를 삼키고, 마치 개구리가 공주의 키스로 마법이 풀려 왕자가 되었듯이 마법이 풀려 잘 생긴 청년이 되며 아마데는 그의 신부가 된다. 자부스를 비롯해서 많은 비평가들이 아마데의 모습에서 미란다의 모습을 보듯이 소설은 세라핀의 이 우화를 미란다(그리고 그녀를 통해 워너가) 찾은 '화해'에 비추어 볼 것을 요구한다.[194] 그런데 자신을 버리는 진정한 사랑만이 괴물의 마법을 풀고 그를 인간으로 바꿀 수 있다는 이 우화가 전하는 메시지는 워너의 화해를 더 위험한 것으로 느껴지게 만든다. 왜냐하면 그것은 책임을 오히려 피해자인 여인들, 그리고 섬주민들에게 돌리고 '사랑'이라는 허울 좋은 이름으로 자신을 버리기를, 또 한 번의 희생을 요구하는 것이기 때문이다.

　한편 클리프의 소설에 대해서는 그녀가 보는 제 3세계 자메이카의 상황이 너무 절망적이지 않은가라는 질문이 제기되곤 한다. 그리고 그 질문에는 흔히 그녀가 자메이카인지만 자메이카의 특권층 출신이며, 또 미국에서 작가로 활동 중인 지식인이자 그녀의 소설이 겨냥하는 독자 역시 자메이카인들이 아니라 영어를 사용하고 서구의 문화적 전통에 익숙한 제1세계 사람들이기 때문이 아니겠냐는 의심의 눈초리가 따르곤 한다.[195] 이미 자메이카 사회를 떠난 지식인, 특권층의 눈으로 보기 때문에 자메이카 민중들의 모습에서 어떤 희망의 가능성도 찾지 못하는 것이고 또 자메이카 사회의 변화가능성에 대해서도 그처럼 부정적이지 않겠냐라는 지적이다. 클리프는 이 의문들에 대해 정면으로 반박을 하지도 않으면서 또 희망에 대해서도 이야기하지 않는다. 오히려 인터뷰에서는 소설보다 더 분명하게 현재 자메이카의 상황은 매우 절망적이며 자신은 어떤 의미 있는 정치적, 사회적 변화가 가능하지 않는다고 본다고 단언한다. 그리고 앞서도 지적했듯이 자신이 소설에서 보여주고자 한 유일한 희망이 있다면, 그것은 해리어트가 살아

---

194) Zabus, 앞의 책 143; Chedgzoy, 앞의 책 116.
195) Cliff, "An Interview"와 Lima, 앞의 글 참조.

남았을 수도 있으며 그녀의 저항이 계속될 것이라는 점이라고 한다.

클리프의 이 언급은 자신의 소설쓰기를 창문이라고는 없고 절대 부술 수도 없는 쇠로 된 방에 갇힌 사람들을 깨워서 그들에게 갇혀있다는 사실을 알려주는 일이라고 이야기했던 중국 소설가 루쉰의 비유를 연상시킨다.[196) 20세기 초 일본 제국주의 치하의 중국의 암울한 상황에 대한 루쉰의 현실인식을 담고 있는 이 비유에서 소설이 해야 할 일은 암울한 상황을 탈출할 방법을 찾아 알려주는 것이 아니라, 쇠로 된 방에 갇혀있으면서도 깊은 잠에 빠져 그 사실을 모르는 사람들을 깨워 갇혀있다는 것을 알려주는 것이다. 그래서 그들이 자신이 마주한 절망적 상황을 직시함으로써 "절망에 절망하게"하며, 그를 통해 투쟁에 나서도록 하는 것이다. 클리프에게도 이 소설이 바로 그런 의미가 아닐까 싶다. 그녀에게도 '희망'은 창문이라고는 없고 절대 부술 수도 없는 절망적 현실에 눈을 감지 않고 직시하는 것, 곧 싸움을 멈추지 않는 것과 동의어일 뿐이다.

---

196) 루쉰 『루쉰 전집』. 제 2권. 루쉰전집번역위원회 옮김 (그린비, 2010) 26.

인용문헌

로버트 J. C. 영. 김용규 옮김 『아래로부터의 포스트식민주의』 현암사, 2013.

루쉰. 루쉰전집번역위원회 옮김 『루쉰전집』 제2권. 그린비, 2010.

박우수. 「브레히트의 셰익스피어 읽기: 『코리오레이누스』 각색을 중심으로」 『고전르네상스영문학』 10.1(2001): 45-64.

이경란. 「초국가적 이주와 인종화된 포스트식민정체성의 정치학: 미셸 클리프의 『하늘로 통하는 전화는 없다』」 『안과밖』 제28호(2010 상반기): 369-398.

이매뉴얼 월러스틴. 백승욱 옮김 『우리가 아는 세계의 종언』 창작과 비평사, 2001.

지승아. 「오델로라는 이름의 유령 −인종, 여성, 그리고 자넷 시어스의 *Harlem Duet*」 『현대영미드라마』 27.1(2014): 93-122.

최경희. 「탈식민적 자아 형성: 『북쪽으로 이주의 계절』, 『지금은 안돼, 사랑스런 데스데모나』를 통해본 셰익스피어의 『오델로』 텍스트의 전유」 *Shakespeare Review* 제38권, 제1호(2002): 249-276.

Abrams, Rebecca. "*Shylock Is My Name* by Howard Jacobson." *Financial Times* 29 Jan. 2016. 19 Sep. 2016 〈https://www.ft.com/content/db619aec-c4f3-11e5-808f-8231cd71622e〉

Adelman, Janet "Suffocating Mothers in King Lear." *Suffocating Mothers: Fantasies of Maternal Origin in Shakespeare's Plays, 'Hamlet' to 'The Tempest.'* New York: Routledge, 1992. 103-129.

Al-Solaylee, Kamal. "Stratford finally changes its tune." *Globe Review*, 16 June 2006. p. R21. Web. 1 Jan. 2019.

Alter, Iska. "*King Lear* and *A Thousand Acres*: Gender, Genre, and the Revisionary Impulse." *Transforming Shakespeare: Contemporary Women's Re-Visions in Literature and Performance*. Ed. Marianne Novy. London: Macmillan, 1999. 145-158.

Amano, Kyoko. "Alger's Shadows in Jane Smiley's *A Thousand Acres*." *Critique* 47 (2005): 23-39.

Anderson, Jon. "Author Finds Ample Fodder in Rural Midwest." Interview with Jane Smiley. *Chicago Tribune*. 24 November 1991: C1, C3.

Barber, C. L. *Shakespeare's Festive Comedy : A Study of Dramatic Form and Its Relation to Social Custom*. Princeton: Princeton UP, 1959.

Barthes, Roland. "Theory of the Text." *Untying the Text: A Post-Structuralist Reader*. Ed. R. Young. London: Routledge, 1981.

Bass, Ellen. "Child Sexual Abuse." *Rape and Society: Readings on the Problems of Sexual Assault*. Eds. Patricia Searles and Ronald J. Berger. Boulder: Westview, 1995.

Bennett, L. *Jamaica Labrish*. Kingston: Sangster's, 1966.

Boose, Lynda E. and Richard Burt. "Totally Clueless?: Shakespeare Goes

Hollywood in the 1990s." *Shakespeare, the Movie: Popularizing the Plays on Film, TV, and Video.* Eds. Lynda E. Boose and Richard Burt. London: Routledge, 1997.

Boose, Lynda. E. "The Family in Shakespeare Studies; or—Studies in the Family of Shakespereans; or—The Politics of Power." *Renaissance Quarterly* 40 (1987): 706-42.

Brecht, Bertolt. *Coriolanus. Collected Plays.* Vol. 9. Eds. Ralph Manheim and John Willett. New York: Pantheon Books, 1972.

—. "Alienation Effects in the Narrative Pictures of the Elder Brueghel." *Brecht on Theatre.* Ed. and Trans. John Willett. London: Methuen, 1964.

—. "Study of the First Scene of Shakespeare's *Coriolanus.*" *Brecht on Theatre.* Ed. and Trans. John Willett. London: Methuen, 1964.

Brockbank, Philip. "Introduction." William Shakespeare. *Coriolanus.* London: Methuen, 1976.

Brown, Paul. "'The Thing of Darkness I Acknowledge Mine': *The Tempest* and the Discourse of Colonialism." *Political Shakespeare: New Essays in Cultural Materialism.* Eds. Jonathan Dollimore and Alan Sinfield. Manchester: Manchester UP, 1985. 48-71.

Burg, Avraham. *Holocaust Is Over: We Must Rise From its Ashes.* New York: Palgrave, 2008.

Burnett, Mark Thornton and Ramona Wray. *Shakespeare, Film, Fin de Siecle.* London: Macmillan Press, 2000.

Burnett, Mark Thornton. *Filming Shakespeare in the Global Marketplace.* Houndsmills: MacMillan, 2007.

Butler, Judith. *Parting Ways: Jewishness and the Critique of Zionism.* New

York: Columbia UP, 2014.

Cakebread, Caroline. "Sycorax Speaks: Marina Warner's *Indigo* and *The Tempest.*" *Transforming Shakespeare: Contemporary Women's Re-Visions in Literature and Performance.* Ed. Marianne Novy. London: MacMillan, 1999. 217-236.

Calbi, Maurizio. "The Ghost of Strangers: Hospitality, Identity, and Temporality in Caryl Phillips's *The Nature of Blood.*" *Journal for Early Modern Cultural Studies* 6.2 (2006): 38-54.

Cartelli, Thomas. *Repositioning Shakespeare: National Formations, Postcolonial Appropriations.* London: Routledge, 1999.

Chedgzoy, Kate. *Shakespeare's Queer Children: Sexual Politics and Contemporary Culture.* Manchester: Manchester UP, 1995.

Cheyette, Bryan. "English Anti-Semitism: A Counter Narrative." *Textual Practice* 25.1 (2011): 15-32.

Cliff, Michelle. *No Telephone to Heaven.* New York: Vintage, 1989.

---. "An Interview with Michelle Cliff." (by Meryl F. Schwartz) *Contemporary Literature,* 34(4) 1993: 595-619.

---. "Clare Savage as a Crossroads Character." *Caribbean Women Writers: Essays from the First International Conference.* Ed. Selwyn Reginald Cudjoe. Wellesley: Calaloux, 1990. 263-268.

Clingman, Stephen. "Other Voices: An Interview with Caryl Phillips." *Salmagundi* 143 (2004): 112-140.

---. "Forms of History and Identity in The Nature of Blood." *Salmagundi* 143 (2004): 141-166.

Cohen, Walter. "*The Merchant of Venice* and the Possibilities of Historical

Criticism." *ELH*, Vol. 49, No.4 (Winter, 1982): 765-789.

Craps, Stef. "Holocaust Memory and the Critique of Violence in Caryl Churchill's *Seven Jewish Children: A Play for Gaza*." *The Future of Testimony: Interdisciplinary Perspectives on Witnessing*. Eds. Jane Kilby, et al. London: Routledge, 2014. 179-92.

Danson, Lawrence. *The Harmonies of 'The Merchant of Venice'*. New Haven: Yale UP, 1978.

Dawson, Ashley. "'To Remember Too Much is Indeed a Form of Madness': Caryl Phillips's *The Nature of Blood* and the Modalities of European Racism." *Postcolonial Studies* 7.1 (2004): 83-101.

Dickinson, Peter. "Duets, Duologues, and Black Diasporic Theatre: Djanet Sears, William Shakespeare, and Others." *Modern Drama*, 45:2 (2002): 188-202.

Ebert, Roger. "'Merchant of Venice Gets Its Due' Rev. of *The Merchant of Venice*." *Chicago Suntimes*, 2005. 1. 21.
⟨http://rogerebert.suntimes.com/apps/pbcs.dill/article?AID=/20050120/RE VIEWS/50103003/1023.⟩

Engler, Balz. "The Noise That Banish'd Martius: *Coriolanus* in Post-War Germany." *Renaissance Refractions: Essays in Honour of Alexander Shurbanov*. Eds. Boika Sokolova and Evgenia Pancheva. Sofia: St Kliment Ohridski UP, 2001.

Fischlin, Daniel and Mark Fortier. Introduction. *Adaptations of Shakespeare: A Critical Anthology of Plays from the Seventeenth Century to the Present*. Eds. Daniel Fischlin and Mark Fortier. London: Routledge, 2000. 285-88.

Flaherty, Jennifer. *"Chronicles Of Our Time": Feminism and Postcolonialism in*

Appropriations of Shakespeare's Plays. 2011. The University of North Carolina. PhD dissertation. Web. 12 Dec. 2018.

Barker, Francis and Peter Hulme, "'Nymphs and reapers heavily vanish': The Discursive Con-texts of *The Tempest.*" *Alternative Shakespeare.* Ed. John Drakakis. London: Methuen, 1985.

French, Marilyn, *Shakespeare's Division of Experience.* London: Jonathan Cape, 1982.

Fuller, Edmund. "Kind and Unkind Daughter: *The Quondam Wives* and *A Thousand Acres.*" *Sewanee Review* (1993): l-lii.

Gilroy, Paul. *Against Race: Imagining Political Culture beyond the Color Line.* Cambridge: Harvard UP, 2000.

Girard, René. "'To Entrap the Wisest': A Reading of *The Merchant of Venice.*" *Literature and Society.* Ed. Edward W. Said. Baltimore: Johns Hopkins UP, 1980. 100-119.

Gross, John. *Shylock: A Legend and its Legacy.* New York: Simon & Schuster, 1992.

Guning, Dave. *Race and Antiracism in Black British and British Asian Literature.* Liverpool: Liverpool UP, 2010.

Hadfield, Andrew. Introduction. *William Shakespeare's "Othello." A Routledge Literary Sourcebook.* London: Routledge, 2003. 1-3.

Hankey, Julie. Introduction. *Othello. Shakespeare in Production.* 2nd ed. Cambridge: Cambridge UP, 2005. 1-111.

Heinemann, Margot. "How Brecht Read Shakespeare." *Political Shakespeare: New Essays in Cultural Materialism.* Eds. Jonathan Dollimore and Alan Sinfield. Manchester: Manchester UP, 1985.

Horowitz, Arthur. "Shylock after Auschwitz: *The Merchant of Venice* on the Post-Holocaust Stage—Subversion, Confrontation, and Provocation." *JCRT* 8.3 (Fall 2007): 7-20.

Jacobson, Howard. *Shylock Is My Name.* London: Hogarth, 2016.

---. "Let's See the 'Criticism' of Israel for What It Really Is." *The Independent* 18 Feb. 2009. 27 Sep. 2016 ⟨http://www.independent.co.uk/voices/commentators/howard-jacobson/howard-jacobson-letrsquos-see-the-criticism-of-israel-for-what-it-really-is-1624827.html⟩.

---. "Villain or Victim, Shakespeare's Shylock Is a Character to Celebrate." *The Guardian* 5 Feb. 2016. 27 Aug. 2016 ⟨https://www.theguardian.com/books/2016/feb/05/villain-victim-shylock-shakespeare-howard-jacobson⟩.

---. "Why Jacqueline Rose Is Not Right." *The Guardian* 26 Feb. 2009. 27 Sep. 2016 ⟨https://www.theguardian.com/commentisfree/2009/feb/26/carylchurchill-antisemitism-jacqueline-rose⟩.

Kahn, Coppélia. "The Absent Mother in *King Lear*." *Rewriting the Renaissance: The Discourses of Sexual Difference in Early Modern Europe.* Ed. Margaret W. Ferguson. Chicago: U of Chicago P, 1986. 33-49.

Kermode, Frank. "The Mature Comedies." *Early Shakespeare.* Eds. John Russel Brown and Bernard Harris. New York: St. Marin's P, 1961.

Kidnie, Margaret Jane. *Shakespeare and the Problem of Adaptation.* New York: Routledge, 2009.

Kristeva, Julia. "The Bounded Text." *Desire in Language: A Semiotic Approach*

to *Literature and Art*. Trans. Thomas Gora, Alice Jardine, and Leon S.
Roudiez. Ed. Leon S. Roudiez. Oxford: Blackwell, 1980.

Lasdun, James. "Howard Jacobson Takes on Shakespeare's Venetian
Moneylender." *The Guardian* 10 Feb. 2016. 27 Sep. 2016.
⟨https://www.theguardian.com/books/2016/feb/10/shylock-is-my-name-h
oward-jacobson-review-retelling-shakespeare-the-merchant-of-venice⟩

Ledent, Benedicte. *Caryl Phillips*. Manchester: Manchester UP, 2002.

Leininger, Lorie Jerrell. "The Miranda Trap: Sexism and Racism in Shakespeare's
Tempest." *The Woman's Part: Feminist Criticism of Shakespeare*. Eds.
Carolyn Ruth Swift Lenz, et.al. Urbana: U of Illinois P, 1980. 285-294.

Leinwand, Theodore B. *Theatre, Finance and Society in Early Modern
England*. Cambridge: Cambridge UP, 1999.

Leitch, Thomas. "Twelve Fallacies in Contemporary Adaptation Theory."
Criticism 45.2 (2003): 149-171.

Leslie, Marina. "Incest, Incorporation, and *King Lear* in Jane Smiley's *A
Thousand Acres*." *College English* 60 (1998): 31-50.

Lima, Maria Helena. "Revolutionary Developments: Michelle Cliff's *No
Telephone to Heaven* and Merle Collin's *Angel*." *Ariel: A Review of
International English Literature*, 24.1 (January 1993): 35-56.

Loomba, Ania. "'Local-manufacture made-in-India Othello fellows': Issues of
Race, Hybridity and Location in Post-Colonial Shakespeares."
Post-Colonial Shakespeares. Eds. Ania Loomba and Martin Orkin. London:
Routledge, 1998. 143-163.

___. *Gender, Race, Renaissance Drama*. Delhi: Oxford UP, 1992.

___. *Shakespeare, Race, and Colonialism*. Oxford: Oxford UP, 2002.

Lucasta Miller. "Shylock is My Name by Howard Jacobson, book review," *Independent* 21 Jan. 2016. 〈https://www.independent.co.uk/arts-entertainment/books/reviews/shylock-is-my-name-by-howard-jacobson-book-review-a6825566.html〉

Mamdani, Mahmood. *Good Muslim, Bad Muslim: America, the Cold War, and the Roots of Terror.* New York: Pantheon Books, 2003.

Massai, Sonia ed. *World-wide Shakespeares: Local Appropriations in Film and Performance.* London: Routledge, 2005.

McLuskie, Kathleen. "The patriarchal bard: feminist criticism and Shakespeare: *King Lear and Measure for Measure*." *Political Shakespeare.* Manchester: Manchester UP, 1985. 88-108.

Moisan, Thomas. "'Which is the merchant here? and which is the Jew?': Subversion and Recuperation in *The Merchant of Venice*." *Shakespeare Reproduced: the Text in History & Ideology.* Eds. Jean E. Howard & Marion F. O'Connor. New York: Methuen, 1987. 188-206.

Moses, A. Dirk. "Genocide and the Terror of History." *Parallax* 17.4 (2011): 90-108.

Murray, Rebecca. Interview with *The Merchant of Venice*'s Director Michael Radford. 〈http://www.movies.about.com/od/merchantofvenice/a/merchntmr122304.htm〉

Neill, Michael. Introduction. *Othello, the Moor of Venice.* Oxford: Oxford UP, 2006. 1-179.

Nixon, Rob. "Caribbean and African Appropriations of *The Tempest*." *Critical Inquiry* 13(Spring 1987): 557-578.

Novy, Marianne L. *Love's Argument: Gender relations in Shakespeare.*

London: U of North Carolina P, 1984.

Parry, Benita. *Postcolonial Studies: A Materialist Critique*. London: Routledge, 2004.

Patterson, Annabel. *Shakespeare and the Popular Voice*. Cambridge: Blackwell, 1989.

Phillips, Caryl. *The European Tribe*. Boston: Faber & Faber, 1987.

---. *A New World Order*. London: Secker, 2001.

---. *The Nature of Blood*. New York: Vintage, 1997.

Reynolds, Bryan. "'What is the city but the people?': Transversal Performance and Radical Politics in Shakespeare's *Coriolanus* and Brecht's *Coriolan*.'" *Shakespeare Without Class: Misappropriations of Cultural Capital*. Eds. Donald Keith Hedrick and Bryan Randolph Reynolds. New York: MacMillan, 2000.

Rich, Adrienne. "When We Dead Awaken: Writing as Re-Vision." *On Lies, Secrets, and Silence*. New York: Norton, 1979. 32-49.

Ripley, John. *Coriolanus on Stage in England and America 1609-1994*. Cranbury: Associated UP, 1998.

Rose, Jacqueline. "Why Howard Jacobson Is Wrong." *The Guardian* 24 Feb. 2009. 27 Sep. 2016 ⟨https://www.theguardian.com/commentisfree/2009/feb/23/howard-jacobson-antisemitism-caryl-churchill⟩

---. "Setting the Record Straight." *The Guardian* 10 Mar. 2009. 27 Sep. 2016 ⟨https://www.theguardian.com/commentisfree/belief/2009/mar/10/religion-judaism⟩

Ryan, Kiernan. *Shakespeare*. New York: Harvester, 1989.

Sanders, Julie. *Adaptation and Appropriation*. London: Routledge, 2006.

Schiff, James A. "Comtemporary Retellings: *A Thousand Acres* as the Latest Lear." *Critique* 39 (1998): 367-381.

Scofield, Martin. "Drama, Politics, and the Hero: *Coriolanus*, Brecht, and Grass," *Comparative Drama*. 24.4 (1990-91): 321-341.

Sears, Djanet. *Harlem Duet*. *Adaptations of Shakespeare: A Critical Anthology of Plays from the Seventeenth Century to the Present*. Eds. Daniel Fischlin and Mark Fortier. London: Routledge, 2000. 289-317.

---. "nOTES oF a cOLOURED gIRL: 32 sHORT rEASONS wHY I wRITE fOR tHE tHEATRE" *Harlem Duet*. 5th ed. Toronto: Scirocco, 2008. 11-16. Web. 12 Dec. 2018.

---. Interview with Mat Buntin. Canadian Adaptations of Shakespeare Project. Web. 12 Dec. 2018.

Sethuraman, Ramchandran. "Evidence-cum-Witness: Subaltern History, Violence, and the (De)formation of Nation in Michelle Cliff's *No Telephone to Heaven*." *Modern Fiction Studies* 43.1 (1997): 249-287.

Shackleton, Mark. Introduction. *Diasporic Literature and Theory — Where Now?* Ed. Mark Shackleton. Newcastle: Cambridge Scholars P, 2008.

Shakespeare, William. *Coriolanus*. Ed. Lee Bliss. Cambridge: Cambridge UP, 2010.

---. *King Lear*. Ed. Kenneth Muir. London: Methuen, 1975.

---. *The Merchant of Venice*. Ed. M. M. Mahood. Cambridge: Cambridge UP, 1989.

---. *Othello*. Ed. Michael Neill. Oxford: Oxford UP, 2006.

---. *The Tempest*. Ed. David Lindley. Cambridge: Cambridge UP, 2002.

Shapiro, James. *Shakespeare and the Jews.* New York: Columbia UP, 1996.

Sicher, Efraim and Linda Weinhouse. *Under Postcolonial Eyes: Figuring the "jew" in Contemporary British Writing.* Lincoln: U of Nebraska P, 2012.

Singh, Jyotsna. "Othello's Identity, Postcolonial Theory, and Contemporary African Rewriting of *Othello.*" *Othello: New Casebooks.* Ed. Lena Cowen Orlin. London: MacMillan, 2004. 171-189.

Smiley, Jane. *A Thousand Acres: A Novel.* New York: Anchor Books, 1991.

____. "Shakespeare in Iceland." *Transforming Shakespeare: Contemporary Women's Re-Visions in Literature and Performance.* Ed. Marianne Novy. London: Macmillan, 1999. 159-180.

Strehle, Susan. "The daughter's subversion in Jane Smiley's *A Thousand Acres.*" *Critique* 41 (2000): 211-226.

Thompson, Ann. "'Miranda, Where's Your Sister?' Reading Shakespeare's *The Tempest.*" *Feminist Criticism: Theory and Practice.* Ed. Susan Sellers. Toronto: U of Toronto P, 1991.

Wallerstein, Immanuel. *The Decline of American Power: The U.S. in a Chaotic World.* New York: The New Press, 2003.

Warner, Marina. *Indigo or, Mapping the Waters.* London: Vintage, 1993.

---. "Between the Colonist and the Creole" *Unbecoming Daughters of the Empire.* Ed. Shirley Chew and Anna Rutherford. Hebden Bridge: Dangaroo, 1993. 199-204.

Wesker, Arnold. *Preface to* The Merchant. London: Methuen, 1983.

Wheeler, David. "Introduction." *Coriolanus. Shakespeare Criticism* Vol. 11. Ed. David Wheeler. New York: Garland Publishing, 1995.

Williams-Wanquet, Eileen. "Marina Warner's *Indigo* as Ethical Deconstruction and Reconstruction." *Critique*, 46:3 (Spring 2005): 267-282.

Zabus, Chantal. *Tempests After Shakespeare*. New York: Palgrave, 2002.

Žižek, Slavoj. *Welcome to the Desert of the Real: Five Essays on September 11 and Related Dates*. London: Verso, 2002.

수록 글
발표지면

제1부 셰익스피어를 통해 생각하는 우리 시대의 계급과 폭력

「『코리올레이너스』와 『코리올란』: 개작 연구의 목표에 대한 한 고찰」
Shakespeare Review, 제49권, 제1호, 2013년.

「하워드 제이콥슨의 『샤일록은 내 이름』: 홀로코스트 이후의 샤일록」『영미
문학연구』 32, 2017년.

제2부 셰익스피어를 통해 생각하는 우리 시대의 인종 문제

「마이클 래드포드의 〈베니스의 상인〉: 9.11의 경험과 인종주의란 '환상 가로
지르기'」『고전르네상스영문학』 제15권, 제1호, 2006년.

「『오셀로』와 우리 시대의 인종과 인종주의: 카릴 필립스의 『피의 본성』과
자넷 시어스의 『할렘 듀엣』」 *Shakespeare Review*, 제55권, 제1호, 2019
년.

제3부 셰익스피어를 통해 생각하는 우리 시대의 여성 문제

「'그토록 잔인한 마음을 만들어낸 이유가 있을게 아닌가?': 제인 스마일리가 다시 쓴 『리어왕』, 『천 에이커』」 *Shakespeare Review*, 제44권, 제1호, 2008년.

「현대 미란다들의 『태풍』 다시쓰기」 『중세르네상스영문학』 제19권, 제2호, 2011년.

김영아

서울대학교에서 영어영문학을 전공하고 같은 학교 대학원에서 셰익스피어 연구로 2004년 박사학위를 받았다. 현재 한성대학교 상상력교양대학 교수로 재직 중이다. 지은 책으로 『절대군주제의 위기와 폭군살해논쟁 그리고 셰익스피어』(한국학술정보, 2005), 옮긴 책으로 『이행의 시대』(창비, 1999 공역), 『뉴레프트 리뷰 6』(길, 2015 공역), 『숭배와 혐오: 모성이라는 신화에 대하여』(창비, 2020)가 있다.

우리 시대의 **셰익스피어들**

초판 1쇄 발행일 2021년 6월 30일
김영아 지음

발 행 인   이성모
발 행 처   도서출판 동인
주   소   서울시 종로구 혜화로3길 5 118호
등   록   제1-1599호
전   화   (02) 765-7145, 7155
팩   스   (02) 765-7165
홈페이지   www.donginbook.co.kr
이 메 일   dongin60@chol.com
I S B N   978-89-5506-842-9
정   가   16,000원